2
4
8
6
한
국

1부

HaNA(신재형) 지음

2486 한국 1부

발 행 | 2024년 08월 05일
저 자 | 신재형
펴낸이 | 한건희
펴낸곳 | 주식회사 부크크
출판사등록 | 2014.07.15.(제2014-16호)
주 소 | 서울특별시 금천구 가산디지털1로 119 SK트윈타워 A동 305호
전 화 | 1670-8316
이메일 | info@bookk.co.kr

ISBN | 979-11-410-9949-7

2486 한국

1부

HaNA(신재형) 지음

목차

머리말

안녕하세요 2486 한국 작가 HaNA(신재형)라고 합니다.

저는 소설가가 꿈이었습니다 이 꿈은 더 어릴적 초등학교 6학년일 때 처음으로 갖게 되었습니다.

그때 꿈을 갖게 되었으나 제대로 쓰기 시작한 것은 아마 중2가 아니었을까 싶습니다.

소설에 대한 꿈이 여러 학업에 시들어 가던 중 저는 하나의 애니메이션을 보았습니다. 저는 애니메이션을 보고 난 후 너무 재밌었기에 원작소설을 찾아보게 되었습니다.

그때 저는 느꼈습니다. 소설은, 글은 애니메이션에 나타나지 않는 등장인물의 기분이나 행동의 이유를 더 자세히 나타내어 주는구나! 그렇게 저는 다시 소설에 흥미를 갖고 소설가의 꿈에 다가가기 시작했습니다.

한창 여러 가지가 해보고 싶었던 나이 많은 소설을 읽으며 또 온라인 사이트에서 연재도 하며 꿈에 한 걸음 한 걸음 다가가고 있었습니다.

그렇게 길고 긴 길을 걸어 처음으로 종이로 출판하게 되는 책
2486 한국을 재밌게 읽어주셨으면 합니다

-HaNA(신재형)-

2486 한국 1부

***

쏴아아아아아아

2486년 미래 한국

고도로 발달한 문명의 미래 한국

미래 한국은 정말 과거 사람들의 상상 그 이상으로 발달하여 엄청난 문명을 이뤘다. 로봇들이 사람의 명령에 따르고 하늘을 날아다니는 기차, 자동차 형형색색의 아주 아름다운 네온사인들과 밤이 되어도 어두워지지 않는 낮의 도시 미래 서울 하지만 그렇게 미래 한국은 잘 성장해 나가는 줄 알았으나

그것은 수도 한정이었다.

점점 부자가 늘어날수록 거지도 늘어나고 서울 외에 그렇게 많이 발전하지 못한 지역은 그 지역의 갱단들이 활발히 활동하며 빈부격차가 극심해졌다. 서울이나 조금 사람 많은 데를 제외한 지역은 사람의 납치 정도는 가볍게 일어나고 강도질 살인 등등…미래 한국은 혼돈 그 자체였다. 그리고 최근에는 어떤 지역은 아예 그 지역의 갱단들이 지배하기도 하였다. 그런 상황의 미래 한국…

…

하늘에 구멍이 뚫린 듯 엄청나게 쏟아지는 비 나는 미래 한국 국군의 제101 특수임무단 소장이다. 아니 소장이었다.

나는… 미래 한국에서 진행한 사이보그 군인 프로젝트에 참여해 유일하게 사이보그가 되는 것에 성공한 군인이다. 다른 동기들은 전부 개조를 받다 버티지 못하고 사망하였다. 그렇게 유일한 사이보그 군인이 된 나는 딸을 보살피며 서울에서 살아가고 있었다.

"아빠 내일 작전 나가?"

어느날 잠자리에 들기 전 딸이 내게 물었다.

"응? 음… 그래 좀 늦을 거야 밥은 아빠가 아침에 다 차려둘게"

"헤헤 고마워 아빠 역시 아빠가 최고야"

딸이 내 얼굴을 바라보고 미소를 지으며 말했다.

"이 정도는 해줘야지"

"아빠… 언젠가 작전 안 나가는 날에 같이 또 여행 가면 안 돼?"

"응? 또 어디를 가고 싶길래 그럴까? 우리 공주님이"

"음…나 또 바다에 가고 싶어 아빠랑"

"그래 그러자 그럼 내일 작전 끝나면 같이 바다에 가자"

"정말??"

"그럼 아빠는 이런 거로 거짓말 안 하지"

"역시 아빠가 최고야!! 아빠 사랑해~~"

딸이 내게 한걸음에 달려왔다. 나는 딸을 안아줬다.

"그래 아빠도 사랑해"

"웅웅 알아 히히히 잘자!!"

"아 맞다 아빠!!"

"응?"

"내일은 꼭 일찍 와야 해!!"

딸이 한껏 상기된 목소리로 이불을 덮어쓰며 말했다.

"음? 무슨 일 있니?"

"헤헤 비밀이야!! 꼭 빨리와!!"

"그래그래 최대한 빨리 와보마 이제 진짜 자야 한다~"

"넵~~~"

그렇게 다음날이 되고 나서 딸이 아직 잠들어있을 때 나는 작전에 나갔다. 그리고 작전을 마친 당일 어두운 밤 집으로 돌아가던 길이었다. 하지만… 평소와는 다르게 주변에서 연기와 사이렌 소리가 들려왔다. 나는 불길한 느낌이 들어 빠르게 우리 집으로 향했다.

 …역시 불길한 예감은 언제나 틀리지 않는다. 집이 불에 타고 있었다.

 "이게… 무슨 일입니까?"

 나는 주변에 있던 경찰 한 명에게 물어봤다.

 "화재 신고가 들어왔거든요. 그리고 집 주변에서 이상한 쪽지 하나도 발견됐습니다"

 "혹시 집주인이십니까?"

 "네 맞습니다만…"

 경찰이 내게 쪽지 하나를 내밀었다.

 [딸은 납치해간다]

 납치하고 이런 쪽지를 남긴다고? …나를 도발하는 것 같았다. 딱 봐도 어떤 지방에 있는 갱단이 내게 보복하기 위해 이 일을 벌인 듯했다.

 "혹시 이 일을 벌인 놈들을 찾을만한 다른 단서 같은 것 발견된 것이 없습니까?"

 "네 현재 화재 때문에 제대로 된 진입도 힘든 상황입니다."

 나는 순간 나의 내부에서 느껴본 적 없었던 분노가 느껴졌다. 나는 난장판이 된 집안으로 달려 들어갔다. 그리고 불타고 있는 집의 안에서 혹시라도 녀석들의 단서를 찾을 수 있을까 최대한 조사하였다. 하지만 발견된 것은… 딸이 주었던 꽃 브로치와 어린 딸의 사진뿐이었다.

 나는 그것들만이라도 챙기고 바로 군대를 그만두기 위해서 다시 군대로 향했다. 부대로 들어가자 멀리서 커피를 마시며 다가오고 있는 한 사람이 보였다.

 "충성! 소장님 무슨 일이십니까?"

 우리 특수 임무단의 박 대령이었다.

 "임무 끝나고 집으로 돌아가셨던 거 아니십니까?"

"아무것도 아니다."

나는 박 대령을 애써 무시하고 지나가려 했다.

"아니 그렇다기에는 소장님 안색이 너무 안 좋으십니다."

"딸이 납치됐다."

"네…?"

내 말을 들은 박 대령이 손에 있던 컵을 떨어뜨렸다. 나는 박 대령의 눈을 마주치지 않으려 했다.

"나는 오늘부로 군인을 그만두겠다."

"아니 저기 소장님 이해가 안 되는… 아니 외람된 말씀이지만…"

"시끄럽다."

"소장님…."

"미안하지만… 이건 이미 결정한 일이다 더 이상 내게 아무 말도 하지 마라"

나는 다시 복도를 걸어갔다. 그때 박 대령이 내 어깨를 손으로 잡았다. 뒤를 돌아보자 저 멀리에서 다른 누군가가 달려오고 있었다.

"지금 무슨 말씀을 하고 계신 겁니까?"

그 사람은 상당히 당황한 표정으로 내게 달려오고 있었다. 그 사람은… 미래 한국 국군의 제101 특수임무단 준장 나와 오랜 군 생활을 함께하면서 나에게 많은 것을 배운 거의 친구급이 된 착한 후배

서 준장이었다.

"소장님… 이게 무슨 말입니까??"

평소 서 준장의 모습과 다르게 불안함이 표정에서 바로 느껴졌다.

"너도… 다 들었으면 알 텐데…."

나는 서 준장을 애써 바라보지 않기 위해 고개를 돌렸다.

"소장님… 우선 딸을… 납치해간 녀석들의 위치는 알고는 있으십니까?"

"그건… 지금부터 찾아 나서야지…"

"소장님… 아무리 생각해도 이건 너무 무모한 짓인 것 같습니다. 아무런 단서도 없이 전국을 돌아다니면서 딸을 찾으시겠다니…"

"못 하는 말이 없군 난 아직 네 소장이야 서 준장 정신 차려 난 내 결정을 내린 거고 넌 이 결정에 대해 그 어떠한 말을 할 수 있는 자격은 없다."

나는 서 준장을 바라보며 말했다.

"소장님…"

"그리고"

"네?"

"이 방법 말고 다른 방법도 없어"

"아니… 생각해보면 여러 가지 나오지 않겠습니까? 하지만 지금 소장님의 생각은 너무 위험하다고…"

서 준장이 당황한 듯 떨면서 말했다.

"난 시간이 없어 서 준장"

난 그런 서 준장의 말을 끊고 말했다. 한동안 서 준장은 날 바라보았다. 그리고 한숨을 쉬며 눈을 감았다 다시 나를 바라보았다.

"하… 제가 소장님 성격 잘 압니다…"

"… 고맙다"

나는 이제 상부에 말하러 가려 했으나…

"그렇다면 한 가지만 약속해주시고 가실 수 있으시겠습니까?"

뒤에서 서 준장이 나를 바라보며 말했다. 서 준장도 확실하게 결심한 듯 떨지 않으며 내 눈을 똑바로 바라보고 말했다.

"뭐지?"

"꼭 다시 돌아와 주십쇼"

…

지금의 서 준장은 겉으로는 당당해 보였다. 하지만… 그의 눈과 행동에서 두려움과 걱정의 감정들이 고스란히 느껴져 왔다.

"…약속하지"

나는 확신이 없는 목소리로 서 준장에게 말을 건넸다. 서 준장이 나를 또다시 바라보다가 힘들게 입을 열었다.

"그럼….그냥 먼저 가보십쇼 대장님과 중장님 그리고 다른 특수임무단 소장들에게는 제가 잘 전달해두도록 하겠습니다"

"고맙다"

"그럼 어디부터 가 보려 하시는지…?"

"아래에서부터 천천히 위로 올라갈 생각이다"

"큰 갱단이 있었던 곳들을 아래부터 차차히 다가 볼 생각이야."

"그럼… 처음은 부산이겠군요"

"…그럼 이제 가 보마…"

나는 박 대령과 서 준장에게서 돌아서고 출구로 걸어갔다.

"소장님!!!"

서 준장이 내 뒤에서 다급한 목소리로 외쳤다.

"다시 한번… 다시 한번 꼭! 부탁드립니다"

그리고 옆에서 박 대령도 나서며 내게 말을 건넸다.

"꼭… 다시 돌아오셔야 합니다"

"저희는… 기다리고 있겠습니다"

서 준장과 박 대령이 동시에 내게 경례했다. 나는 서 준장과 박 대령에게 무언가를 말하려 했지만… 아무 말 없이 군대를 빠져나왔다.

최악의 날이었지만 하늘은 아름다운 은하수를 보이고 있었다. 우리 부대의 본부는 얼마 없는 개발이 되지 않은 산속에 자리 잡고 있었다. 여기서는 다른 곳과 다르게 별을 잘 볼 수 있었다. 하지만 지금은 별을 보며 시간을 버릴 때가 아니다.

군대를 나오고 나는 다시 집으로 향했다. 불은 다 진화된 모습이었다. 나는 집 안으로 천천히 걸어갔다. 불이 진화된 집의 모습은 더 처참한 모습이었다. 나는 천천히 집을 돌아보며 놈들이 남긴 흔적이 있을지 찾아보았다. 하지만 모든 것이 다 불타버렸다.

집을 불태운 이유가 자신들의 흔적을 없애기 위해 전부 태워버린 거군…

그때 집의 거실에서 유일하게 불타지 않은 사진 하나를 발견했다…. 아니… 사진이 아니라 그림이었다.

딸이 그린 내 모습이었다…

….

나의 마음속에서 또 내 딸을 납치한 놈들에 대한 분노가 차 올라왔다, 나는 딸이 내 모습을 그린 그림을 내 품에 챙겼다.

"꼭… 구하러 가마…조금만 기다려…"

나는 다시 한번 마음을 제대로 다잡은 후 딸의 그림을 들고 집을 나서서 가장 첫 번째 목적지인 부산으로 향했다.

***

2486년 12월 20일

부산광역시

비가 많이 내리고 있다. 나는 이 비를 그대로 맞으며 부산에서 내 딸을 찾기 위해 도착했다.

부산의 있는 갱단은 현재 미래 한국에 밀반입되는 마약들의 90%를 들여오는 갱단이다. 대부분 바다를 통해 다른 나라에서 들여온다. 이 조직은 다른 곳에 비해 조금 더 큰 편이기도 하기에 군인으로서도 여럿 만난 적이 있는 집단이다.

그런데 이렇게 크게 성장하다니… 언제 성장한 거지?

내가 마지막으로 간 것이 한… 1년 정도밖에 안 됐을 텐데….

"건물이 많이 커졌군"

조직이 크다는 것은 알았으나 본거지 건물이 이렇게 거대했다는 것은 처음 안 사실이었다. 한… 9층 정도 되는 거대한 빌딩이었다. 나는 그냥 정문으로 들어가려 했다.

그렇게 건물 안으로 들어가기 위해 걸어가던 중 정문에 서 있던 경비들 4명이 내게 다가왔다. 그 녀석들은 다짜고짜 무슨 삼단봉을 들고 다가왔다.

"야 너 뭔데?"

"여기가 어디인지는 알고 들어오려는 거냐?"

놈들은 다짜고짜 내 어깨를 밀치면서 날카롭게 말했다.

"물론"

나는 녀석들의 눈을 바라보며 말했다.

"뭐??"

"알고 있으면서 들어오려 하는 거야?"

"야 네 왼팔의 부품을 하나하나 분해해버리기 전에 빨리 사라져 그냥"

조금 다른 녀석들과 다르게 덩치가 컸던 경비가 나의 몸을 밀쳤다.

"…"

"야 귀먹었냐?"

"여기서 빨리 꺼…"

그 녀석이 나를 또 한 번 밀치려 하자 참고 있었던 나는 그 녀석의 팔을 잡고 뒤로 엎어 쳤다. 그리고 쓰러진 녀석의 머리에 내 허리에 있던 권총을 꺼내서 총구를 겨눴다. 그리고 그대로 발사했다. 나는 결심했다.

이 녀석들을… 전부… 죽이겠다.

"야!! 씨 야 빨리 안으로 들어가서 경보 울려!!!"

내가 한 명을 죽이자 처음에 다가왔던 경비들 3명이 건물 안으로 도망치기 시작했다. 나는 등에서 검을 뽑아 건물로 도망치려던 녀석들의 뒤를 빠르게 추격했다.

그리고 녀석들의 등을 검으로 베었다. 2명을 베어 쓰러뜨리고 나머지 한 명은 검으로 심장을 관통했다. 녀석의 심장은 검에 꽂혀 몸에서 빠져나오고서도 약 몇 초간 더 뛰다 완전히 멈춰버렸다. 나는 녀석의 심장과 몸에서 검을 뽑아내고 팔로 검에 묻은 피를 닦아낸 후 다시 등의 검집에 집어넣었다.

"가만히 있으면 반이라도 가거늘…"

나는 건물의 외벽을 확인했다. 나는 들켰기에 정문으로 들어가면 위험할 것으로 생각했다. 그때 건물의 창문을 발견했다.

저 정도라면 충분히 깨고 들어갈 만한 크기…

내 왼팔은 사이보그 팔이다 기존 팔보다 강한 완력을 낼 수 있다. 나는 이 왼팔로 벽을 잡고 올라가고 잡고 올라가고를 반복해 높이 올라갔다. 그리고 오른팔로 창문을 깨고 건물 안으로 진입했다. 나는 내 귀의 뒤에 있는 버튼을 눌렀다. 그러자 내 머리 안에 이식되어있던 프로그램이 반응하기 시작했다.

…미래 한국 제101 특수임무단 프로그램 온라인.

작전 모드 시작합니다.

이 프로그램은 군대에서 모든 군인에게 이식을 명령한 프로그램이다. 동료들과의 연락이나 작전지역의 위치 정보들을 눈에 낀 렌즈를 통해 알려주는 프로그램이다. 나는 사이보그이기에 눈에 직접 이식했다.

이 건물의 내부의 정보가 내 눈에 전부 입력되었고 적들의 위치 또한 한꺼번에 내 눈에 입력되었다. 2층은 사무원들이 있는 듯했다 많은 책상과 컴퓨터들이 있었다. 나는 허리에 있던 권총을 꺼내 들고 장전했다. 그리고 등에서 검을 뽑고 천천히 걷기 시작했다.

"뭐야 너 어떻게 들어온 거냐?"

"? 여기가 어딘 줄 알고 들어오는 거냐?"

나를 발견한 사무원들이 당황하며 경계하기 시작했다.

"아~ 이 자식 사이보그였네"

"시스템에 오류라도 났냐? 뭐 팔에 쓰인 부품은 좀 좋아 보이는데? 팔면 돈 좀 되겠어."

"이참에 분해하고 팔아서 돈 좀 벌어보자 ㅋㅋ"

부산 갱단의 녀석들이 날 바라보고 웃으면서 삼단봉을 꺼냈다. 그리고 무슨 버튼을 누르자 삼단봉에 전류가 흐르는 것이 확인되었다.

"좋아 보이는군… 조금 탐나는걸"

"저게 지금 뭐라는 거야…?"

내 말에 한 갱단원이 위축되며 작은 목소리로 말했다.

나는 건물 안의 인원을 파악했다.

건물 안 인원 107명 2층, 사무실 인원 23명 1층, 로비에서 일어난 소동으로 현재 1층에 인원 34명 3층, 사무실 12명 4층, 고위급 사무실 10명 5층, 물품(마약)관리실 11명 6층, 해외업체 통화실 4명 7층, 총기 훈련장 3명 8층, 간부실 9명 9층, 사장실 1명 총원 107명 확인 완료 남성 107명 중 103명 여성 107명 중 4명으로 확인

"자 먼저 공격할 기회를 주지"

"이게 아까부터 계속 뭐라는 거야!!"

내가 도발하자 한 녀석이 전기 삼단봉을 휘두르며 달려들었다. 나는 가볍게 몸을 옆으로 피한 후 녀석의 몸에 검을 꽂았다. 그때 옆에서 한 놈이 책상을 밟고 뛰어들었다. 나는 그 녀석이 하늘에서 뛰어올 때 몸에 권총을 맞췄다. 그리고 나는 주변에 녀석들을 향해서 권총을 발사했다. 한발 한발로 적들의 심장을 완벽하게 꿰뚫었다.

2층의 남은 인원 6명 그 여섯 명이 한꺼번에 나를 둘러싸 공격해왔다. 나는 한 명을 권총으로 쏴 쓰러뜨린 후 그 빈틈으로 나갔다. 그 후 권총을 또 한 놈에게 발사해 얼굴을 맞춰 제압 그리

고 다른 한 놈이 삼단봉으로 공격하려 했을 때는 왼쪽 손으로 잡았다.

삼단봉에 전기가 흐른 것이 오히려 좋았다. 그 전기가 나의 왼팔의 출력을 강화해주었다. 나는 왼팔로 잡은 삼단봉을 부러뜨린 후 등에서 검을 꺼내서 놈의 심장을 꿰뚫었다.

2층 남은 인원 1명

나는 포기하고 주저앉아있는 나머지 한 명에게 다가갔다. 나는 오른손으로 녀석의 멱살을 잡고 권총으로 머리를 겨누었다.

"내… 딸에 대해 알고 있는 것이 있나…"

"니… 네놈 딸을 내가 어떻게 아냐!!!"

나는 왼손에 들고 있던 권총을 녀석의 턱에 조준했다.

"으아아!! 난 나는 진짜 몰라!! 보스 보스라면 알지도 모르지!!! 나는 진짜 몰라!!!"

그때 엘리베이터의 소리가 들려왔다.

"저 새X 저깄다!!!"

1층의 병력이 2층으로 올라온 것이었다. 나는 잡아놨던 놈의 턱에 그대로 총알을 쏴버렸다. 그리고 창밖으로 던져버렸다. 그리고 엘리베이터에서 몰려오는 녀석들을 하나하나 처리해나갔다. 엘리베이터는 34명이 타기에는 터무니없이 작았고 나오는 출구도 조그마해 한 명 한 명 처리하기 좋았다.

놈들을 전부 처리하자 마지막에 엘리베이터에 남아있던 한 녀석이 있었다. 녀석은 왼손이 금빛이 나는 로봇손이었다. 뭔가 딱 봐도 높은 녀석이었다. 나는 그 녀석에게 빠르게 다가가서 놈의 멱살을 잡고 위로 들어 올렸다.

"자…자자자… 잠시만!!! 제발 제발 목숨만은 살려줘… 제발 뭐든지 줄게!!!"

놈이 떨리는 목소리로 다급하게 말했다.

"뭐든지?"

"응!! 뭐든지!! 뭐 약 필요해??? 아니면 돈이 필요한가??? 돈은 얼마든지 줄게 내 전 재산 줄게 아무런 장난 안 치고 깨끗한 돈으로!!!"

나는 왼손에 권총을 녀석의 얼굴에 조준했다.

"이건… 돈으로 해결될 문제가 아니다."

"그 무엇으로도 해결할 수 없을 거야"

"아하아아아아 제발 살려줘 진짜 제발…."

"정보를 알고 있나…?"

"무… 무슨 정보…???"

"내 딸에 관한 정보…."

"뭐??? 네 딸에 관한 정보??? 그걸 내가 어떻게 알아!!! 우린 약만 유통한다고 다른 나쁜 일을 잘 안 한단 말이야!!!"

"갱단 조직원 말을 내가 어떻게 믿지"

"아 제발… 진짜 몰라…."

"정보를 알민한 사람은?"

"진짜… 진짜 모르겠어요…제발…"

나는 녀석의 턱에 총을 갖다 댔다.

"으…으하…으하하하하하하하하!!!"

그 녀석은 실성한 듯 미친 듯이 웃기 시작했다. 나는 녀석이 웃어도 묵묵히 그 녀석을 바라봤다.

"너… 너 지금 네가 이기고 있다 생각하지??"

그 녀석이 내 팔을 잡고서는 웃으며 말했다.

"아니 넌 이제 완전히 끝장난 거야"

"네가 지금 여기에 와서 이, 딴 일을 벌인 이상"

"우리 보스가 이제 너를 완전 개박살…"

탕

나는 녀석의 말이 끝나기 전 그 녀석의 턱에 대고 그대로 방아쇠를 당겼다.

"말이…너무 많군"

그리고 옆으로 녀석을 던져버렸다. 이 층은 방금까지의 아무 일도 없었다는 듯 소름이 끼치게 조용했다. 오직 화약 냄새와 피비린내 그리고 비가 내리는 소리가 들릴 뿐이었다. 나는 확인 사살을 위해 녀석에게 총 한 발을 또 한 번 쐈다. 그리고 엘리베이터에서부터 줄줄이 쓰러져있는 녀석들의 몸을 밟으며 엘리베이터로 향했다. 그리고 권총을 장전하며 엘리베이터에 탑승했다.

엘리베이터에 탑승하자 그제야 건물 안에 경보음이 울리기 시작했다. 나는 검의 묻은 피를 옷에 그냥 닦았다. 엘리베이터가 천천히 다음 층으로 올라가기 시작했다.

***

다음 층으로 올라가고 있다. 그때 프로그램이 인원수를 정리하기 시작했다.

3층:사무실 12명 4층:고위급 사무실 10명 5층:물품(마약)관리실 11명 6층:해외업체 통화실 4명 7층:총기 훈련장 3명 8층:간부실 9명 9층:사장실 1명

…적의 수 업데이트…

3층:사무실 12명 4층:고위급 사무실 0명 5층:물품(마약)관리실 1명 6층:해외업체 통화실 7명 7층:총기 훈련장 0명 8층:간부실 0명 9층:사장실 1명

적의 수가 줄었다는 것… 건물 내에 탈출할 수 있는 개구멍이 있다는 거나… 아니면 자살했다는 것이겠지 고위급은 전부 스스로 목숨을 끊은 것 같군…

엘리베이터가 천천히 올라가고 있다. 나는 한번 심호흡을 했다. 여기까지 온 이상 내 목표는 단 하나

전부… 죽인다…

띠링! 3층 문이 열립니다.

엘리베이터의 안내 소리가 들리고 문이 열리자 조직원 한 놈이 삼단봉을 휘두르며 엘리베이터 안으로 들어왔다. 나는 녀석의 삼단봉을 그냥 왼손으로 잡고 녀석을 밀어내며 3층으로 들어갔다. 그러고 나서 녀석의 삼단봉을 부러뜨리고. 등에서 검을 뽑아 놈의 목을 베었다.

이제 3층이 되자 녀석들도 총을 쓰기 시작했다 3명 정도가 권총을 들고 나를 조준하고 있었다.

"너…너 지금이라도 조용히 사라지면 총은 쏘지 않는다"

"그냥 쏴"

나는 총을 든 녀석의 눈을 바라보고 말했다.

"뭐?"

내 이런 태도에 녀석들이 주눅 들었다.

"그냥 쏘라고"

나는 한 번 더 녀석들을 바라보며 말했다.

"이런 미X놈을 봤나!!"

한 녀석이 소리치며 사격을 시작하자 곁에 있던 다른 놈들이 같이 일제히 사격을 시작했다. 나는 우선 왼팔을 방패로 사용해 총을 막으며 버텼다. 그렇게 버티면서 타이밍을 보다 총알 세례가 좀 약해졌을 때쯤 녀석들을 향해 빠르게 달려가며 거리를 좁혔다. 그 후 가장 앞에 있던 녀석의 권총을 뺏은 다음 주변에 다른 놈들에게 한 발 한 발맞추며 주변의 놈들을 정리했다.

"네놈들 사격 실력이 영 아니군"

나는 권총의 탄창을 분리하고 바닥에 던졌다.

"총을 잡고 그렇게 손이 떨리면 그 누구도 죽일 수 없다"

그렇게 놈들을 정리하자 주변에서 총소리가 들렸다.

아마 이 층에 다른 녀석들은 자살한 것으로 보인다. 다들 이렇게 쉽게 포기하다니… 역시 갱단원들은 갱단원들이었다. 나는 엘리베이터로 가면서 보이는 쓰러진 놈들을 한 번씩 총으로 확인

사살했다.

그렇게 엘리베이터에 탑승하려 한 순간 위층의 갱단원들이 위층에서 아래로 총을 쐈다. 총은 천장을 뚫고 비처럼 내렸다. 나는 급하게 왼팔을 방패로 만들어 하늘에서 내려오는 총알들을 막아 냈다.

"4층에는 적이 없지 않았나?"

나는 프로그램에게 다급하게 물었다. 그러자 안내 음성이 들려왔다.

…5, 6층의 적들이 전부다 4층으로 이동한 것으로 확인되었습니다. 이로써 적의 수 업데이트를…

"아니 그건 됐다 그 정돈 계산할 수 있어."

"그럼 위에 있는 녀석들의 총기의 종류는 뭐지?"

총기 이름:AK -203

7.62×39mm M 43탄을 사용하는 기본형 소총입니다.

SIG 716과 함께 인도군의 차기 제식소총으로 선정되어 기존의 INSS 소총을 대체하게 되었습니다. 인도군 채택형은 조절식 스톡이 아닌…

"그만 그 정도까진 물어보지 않았다."

결국 일반적인 소총인 건가…

나는 왼팔로 옆에 있던 책상을 잡고 총알 세례로 약해진 천장을 향해 던졌다. 그러자 천장이 책장과 부딪히는 충격으로 인해 무너지며 4층에서 적들이 떨어져 왔다. 나는 권총으로 위에서 떨어지는 놈들 하나하나 전부 다 맞췄다.

그때 한 놈이 떨어지면서 내 총에 맞기 전에 내게 총 한 발을 발사했다. 나는 그 녀석에게 총을 맞춰 죽인 후 그 녀석이 쏜 총알은 그냥 오른손으로 잡았다. 그리고 그 총알을 바닥에 던졌다.

이제 이 건물… 모든 층에서 남은 사람은 단 한 명… 9층으로 가야 한다.

나는 엘리베이터에 탑승하고 9층으로 올라가고 있었다. 그때 올라가던 엘리베이터가 갑작스럽게 정전되더니 빠르게 움직이기 시작했다. 나는 등에서 검을 뽑아 엘리베이터의 천장에 사각형 구멍을 냈다. 그리고 엘리베이터의 위에 올라갔다.

이곳의 엘리베이터는 자석의 힘으로 움직이는 듯했다. 엘리베이터 주행 레일의 천장에 자석과 바닥에 자석이 엘리베이터에 위, 아래에 붙어있는 자석을 끌어당기는 식이였다.

현재 나는 위로 엄청나게 빠르게 올라가고 있다.

아마 위의 자석이 건물의 정전으로 인해 힘 조절이 되지 않아 힘이 엄청나게 강해져 더 빨리 끌어당겨지는 것으로 보인다.

나는 다시 엘리베이터의 내부로 들어가고 다시 바닥에 사각형을 뚫었다. 그리고 왼팔로 엘리베이터의 주행 레일에 매달렸다. 빠르게 올라가던 엘리베이터가 천장에 강하게 부딪혔다. 엘리베이터가 한번 밟은 캔처럼 완전히 납작해져 버렸다. 아마 위에 계속 있었다면… 아래 구멍을 뚫고 주행 레일에 매달리지 않았다면 나는 저 안에서 압사당했을지도 모른다.

나는 왼팔의 힘으로 버티며 차근차근 올라가 9층에 진입했다. 이후 9층에 엘리베이터가 도착했을 때 열렸어야 할 문을 열고 들어갔다. 문의 앞에는 레드카펫이 깔려있었다. 그리고 그 레드카펫의 끝에는 거대한 덩치에 흰 정장을 입은 남자가 의자에 앉아있었다. 그 남자의 얼굴은 건물이 어두워 이 정도 거리에서는 잘 보이지 않았다.

그때 밖에서 번개가 쳤다.

그 번개의 빛이 그 남자의 오른쪽 팔을 빛냈다. 그 남자의 오른쪽 팔은 금빛이 나는 거대한 강철팔이였다.

"방금까지 아래층에서 들리던 소란이…"

그 남자는 피우던 담배를 책상 위에 있던 금빛 재떨이에 버렸다.

"네 놈 때문인가 보군"

"그래… 원하는 게 무엇이기에 그 난리를 피우면서 온 것이지?"

"뭐… 네놈도 약을 원하는 건가?"

그 녀석은 자신의 오른팔을 옆에 있던 수건으로 닦으며 말했다.

"아니 오는 길에 5층에 있는 마약은 전부 소각했다."

"뭐?"

그 녀석이 자신 앞에 있는 책상을 강하게 내리쳤다. 그러자 그 책상이 반으로 갈라져 버렸다.

"너… 뭐 하는 놈이냐 대체…"

그 녀석은 분노에 떨리는 목소리로 내게 물었다. 나는 녀석의 물음을 그냥 무시했다.

"내가 원하는 건 단 하나다."

"그래… 뭐냐…"

"내 딸에 대해 알고 있는가?"

"? 네놈의 딸을 내가 어떻게 알지"

"이곳에서 일어나는 유괴건 이 한두 개여야지"

그 녀석은 다시 담배를 꺼내 불을 붙였다.

"그리고 난 네놈이 누군지도 모른다."

"그래서… 내가 줄 수 있는 정보는 없어"

"그리고 있었어도 줄 생각은 없었지"

그 녀석의 입에서 연기가 뿜어져 내왔다.

"그런가…"

"왜인지 아는가?"

나는 허리에서 권총을 꺼내 녀석의 머리를 조준했다.

"난 내 돈줄을 건드린 새X는 확실히 죽여버리기 때문이지"

나는 그 녀석에게 총을 발사했다. 그 녀석은 자신의 강철 팔로 내 총알들을 막아내며 달려왔다. 나는 달려오는 그 녀석을 위로 점프해 뛰어넘었다. 놈은 내가 뛰어넘자 바로 멈춘 후 뒤돌아 공중에 떠 있는 내 목을 잡았다.

"내가 너 같은 놈들을 한두 명 본 줄알아?"

강철 팔이 분노하며 나를 노려보며 말했다. 그리고 나를 땅바닥에 내리쳐 바닥을 무너뜨렸다. 나와 강철 팔은 아래층으로 내려갔다. 거대한 테이블과 의자들이 있는 회의실 같은 간부 실에 떨어졌다.

나는 흩날리는 먼지 속에서 기침했다. 먼지 때문에 그 무엇도 볼 수가 없었다. 그때 강철 팔은 멀리서 나한테 다가왔다.

"아니 수많은 녀석이 왔었어! 내 조직을 노리면서!! 그런데 그놈들이 다 어떻게 됐는지 아냐?"

그리고 그 녀석은 나를 발로 찼다. 나는 맨 끝 쪽 벽까지 날아갔다.

"다 죽었어 내 손에"

"근데 너 같은 듣지도 보지도 못한 놈이 내 목을 노려?"

"진짜 퍽이나 가능하겠다!"

내 멱살을 잡고 그 녀석은 다시 높게 들어 올렸다.

"너도 그냥 이렇게 죽는 거야"

"그니까 상대를 잘 보고 덤볐어야지, 안 그래?"

그리고 그 녀석은 강철팔인 자신의 오른팔로 벽을 부숴버렸다. 그리고 나를 그대로 8층 높이에서 떨어뜨렸다.

"진짜 죄다 부숴놨군. 저 자식"

강철 팔은 뒤돌아서 무너진 8층을 둘러보며 담배를 꺼냈다.

나는 떨어지면서 왼손을 건물의 벽에 가져다 대 떨어지는 속도를 최대한 느려지게 하고 오른손로 벽을 잡고 클라이밍을하듯 차근차근 8층으로 올라갔다. 그곳에서는 강철팔이 아직 담배를 피우고 있었다.

"하… 또 왔냐? 어떻게 살아남은 거야 아무래도 네 녀석도 그 왼팔이 심상치 않은 거겠지?"

"내 공격을 그렇게 맞고도 살아남다니…"

나는 아무 말 없이 녀석을 노려봤다.

"그래 웃기는 놈이군. 그건 인정하지"

강철팔은 자기가 피던 담배를 땅에 던진 후 발로 밟았다.

"그래 네놈의 그 왼팔 내가 분해해주마"

강철팔이 자신의 오른팔로 옆의 의자를 집어 들어 돌진했다. 그리고 그 의자를 나에게 휘둘렀다. 나는 바로 등에서 검을 꺼내 그 의자를 반으로 갈라버렸다. 그리고 강철팔의 몸을 배려하였으나 강철팔은 왼손으로 다른 의자를 잡아 내 공격을 막아내고 잠시 뒤로 물러섰다.

나는 물러선 강철팔에게 달려들었다. 그리고 검으로 다시 몸을 베려 했다. 강철팔은 자신의 오른팔로 힘겹게 내 공격을 막아냈다.

"호오… 네놈의 검 검의 날 부분에 고온 플라즈마를 사용했군… 왠지 절단력이 남달랐어"

"하지만 내 팔을 베기에는 턱없이 부족하다!!"

강철팔은 막고 있던 오른팔 대신 반대쪽 손으로 권총을 꺼내 나에게 쐈다. 나는 총에 맞기 전에 뒤로 피했다. 그 후 강철팔이 권총을 쏘며 달려왔다. 나는 강철팔이 달려오면서 권총을 쏘았을 때 날아올 수 있는 총알의 모든 경우를 프로그램으로 파악했다.

그리고 권총을 꺼내 강철팔에게서 날아오는 총알들을 전부 맞추며 나도 강철팔에게 달려갔다.

그때 그 녀석이 권총을 버리고 강철 주먹으로 나를 공격하려 했고 나는 왼손으로 주먹을 쥐고 그 녀석의 주먹에 맞부딪혔다. 두 주먹이 부딪히면서 발생한 파동이 8층의 모든 창문을 깨뜨려버렸다. 그 녀석은 힘으로 내 주먹을 밀어냈다. 강철팔의 팔이 많이 나와 있을 때 나는 등에서 검을 뽑아 오른팔을 자르려 시도하였다. 하지만 내 검이 닿았음에도 강철팔의 팔은 단단하게 버텼다.

"아무리 그런 검이라 할지라도 내 팔을 베어버리기에는 부족하다니까!!!"

그 녀석은 강철팔을 휘둘러 나를 뒤로 밀쳐냈다. 나는 검을 다시 등의 검집에 집어넣고 강철팔에게 달려갔다. 이후 위로 뛰어올라 위에서 강철팔을 발로 찼다. 그러자 강철팔은 내 발을 막아내기는 했으나 그 발차기의 힘은 바닥에도 전해졌고 결국 8층의 바닥도 무너졌다.

그렇게 나와 강철팔은 8층 간부실에서 7층 총기 훈련장으로 떨어졌다. 그곳에는 각양각색의 총기류뿐만 아니라 검, 단검, 수류탄 등등도 존재했다. 여기는 유일하게 벽에 방탄, 방폭 처리가 되어 있었다. 녀석은 아직 쓰러져서 일어서질 못하고 있었다. 나는 바로 난장판이 된 총기 훈련장에서 바닥에 떨어진 이름 모를 총 하나를 주웠다. 하지만 녀석은 이미 일어나 내 뒤로 와있었다.

나는 뒤늦게 주운 총으로 놈의 머리를 조준했으나 녀석은 총 끝을 강철팔로 잡고 구부려 뜨려 버렸다. 그리고 반대쪽 손에 들고 있던 단검을 나에게 휘둘렀다. 나는 잡힌 총을 버리고 몸을 뒤로 빼 칼을 피한 후 녀석이 칼을 2번째로 휘두를 때 왼손으로 그 단검을 잡아버렸다. 하지만 내가 그 단검을 잡자 강철팔은 발로 나를 차 뒤로 밀어냈다.

나는 단검을 놓쳤고 강철팔은 다시 단검을 휘두르기 시작했다. 나는 계속해서 피하며 녀석이 칼을 휘두르는 패턴을 알아보았다. 그리고 잠깐의 틈이 보일 때까지 기다리고 기다렸다.

….

지금이다.

나는 왼손으로 벽을 뜯어내 방패로 만들어 녀석을 밀어내기 시작했다. 하지만 놈은 내가 벽으로 미는 것을 강철팔로 견디고 있었다. 그래서 나는 왼팔의 힘을 폭주시켜 방금보다 더 강한 힘으로 점점 앞으로 밀고 나가기 시작했다. 그러자 자신의 강철팔로 버티던 녀석도 슬슬 밀리기 시작했다. 나는 이 타이밍을 놓치지 않고 계속해서 점점 더 강하게 밀어붙였다.

　벽 끝까지 녀석을 밀어붙이는 데 성공했다. 하지만 난 멈출 생각 없이 계속해 밀었다. 강철팔이 다급하게 말했다.

　"이… 이봐…이러다 벽이 무너질 거다… 그럼 그냥 아래로 추락하는 거야!!!"

　"그걸…노리는 거다"

　"아무리 너 같은 괴물이라도 7층에서 떨어지면 죽을거아니야?"

　나는 아무 말 없이 더 강하게 밀어붙였다. 그렇게 7층의 한쪽 벽이 무너졌다. 그때 바닥이 무너졌던 8층과 9층도 같이 아래로 무너지기 시작했다.

　나와 강철팔은 건물의 잔해들과 함께 추락하고 있었다. 나는 왼손으로 녀석의 목을 잡고 아래로 떨어졌다. 강철팔은 내 왼손을 자신의 목에서 떨어뜨리려 했지만 나는 더 강하게 목을 쥐었다.

　결국 나와 강철팔은 아래로 추락했다. 나는 강철팔의 위에서 추락해 피해를 입지 않았다. 이후 나는 추락하고 나서 강철팔의 목을 잡고 있던 왼손으로 주먹을 쥐고 녀석의 얼굴에 여러방을 꽂았다.

　밖은 아직도 비가 엄청나게 내리고 있었다. 하지만 떨어진 강철팔의 뒤에는 빗물 대신 피가 흐르기 시작했다.

　나는 거친 숨을 몰아쉬며 물었다.

　"내 딸에 대한 정보는…"

　"하… 난 모른다고 말했을 텐데…"

　나는 방금 총기 훈련장에서 주워온 권총으로 놈의 머리를 조준했다.

　"그래… 그냥 죽여라…"

　나는 강철팔의 얼굴을 조준하고 발사했다.

　…

비가… 참 많이 내리는 날이다… 그때 위에서 건물의 잔해가 또 떨어지는 소리가 들렸다.

나는 빠르게 몸을 피했다. 떨어진 건물의 잔해는 강철팔을 깔아 뭉갰다. 아마 좀만 늦었으면 나도 깔아뭉개 졌을 거다. 나는 죽은 강철팔과 무너진 부산 갱단의 본거지를 뒤로하고 발걸음을 옮기기 시작했다.

철퍽…철퍽…

떨어지는 빗소리와 진흙을 밟는 내 발소리만이 이 거리에 퍼지고 있다… 내 몸에 묻은 피들이… 내 왼쪽 팔에 묻은 피들이 씻겨 내려갔다.

딸을… 찾을 수 있을까…

나는 다시 한번 마음을 다잡았다.

꼭 구하러 갈게…

그렇게 엄청나게 내리는 비를 맞으며 걷고 있던 도중 어두운 골목에서 누군가가 나를 끌어당겼다.

***

"하핫!"

나는 어떤 목소리가 들림과 동시에 빠르고 강하게 끌어당겨져 바로 반격을 못 했다. 그렇게 어딘가의 골목으로 끌어당겨졌다. 나는 날 끌어당긴 손을 뿌리치고 권총으로 나를 끌어당긴 자가 있는 곳을 조준했다. 그러자 어둠 속에서 무언가가 빠르게 주저앉았다.

"잠깐만요…!!!!! 다짜고짜 총 겨누기에요?? 왜 이리 폭력적이셔?!"

이후 어둠 속에서 어린 여자애의 목소리가 들려왔다.

"뭐? 넌…뭐지?"

"제 말 좀 들어봐요!!! 그 총은 좀 내리시고!!!"

그 애의 목소리는 진짜 공포에 떨리고 있었다. 나는 그 애를 바라봤다. 고등학생? 쯤으로 보이는 여자애였다. 분홍색 머리에 분홍색 오버핏 후드를 입고 위에 보라색 좀 많이 길어 보이는 코트를 입고 있었다. 복장을 봤을 때… 정상적인 애로는 보이지 않았다… 아무튼 그 애는 바닥에 주저앉은 채 나를 올려다보고 있었다.

"저 좀 도와주실 수 있어요…?"

그 애는 갑자기 내게 도움을 요청했다. 이해가 안 되는 상황에 나는 그 애에게 물었다.

"무슨 소리를 하는 거지?"

"일단 네 신원부터 밝혀라"

"아아…"

그 애가 갑자기 이상한 포즈를 취하며 말하기 시작했다. 방금까지 공포에 질려있던 아이는 사라지고 당당하게 자기소개를 하기 시작했다.

"제 이름은 아이비입니다! 고작 17살의 나이만으로…"

"잠깐 그거면 됐다"

"네? 아니 뭐요? 자기소개하라는 거 아니었어요?"

그 애는 포즈를 풀고는 아쉽다는 표정으로 내게 불만스럽게 말했다.

"난 네 자기소개는 그리 궁금하지 않아 이름하고 나이만 있으면 충분하다"

"쳇"

"근데 왜 나한테 도움을 요청하는 거지? 너… 내가 누군지 알고 있나?"

내 말을 듣자 그 애가 얼굴이 밝아지며 말하기 시작했다.

"아…그 방금 부산 갱단을 무너뜨리는 걸 봤거든요!! 그… 뭐라 부를까요?"

"뭘"

"그쪽이요"

아이비가 손으로 날 가리키며 곤란한 표정으로 말했다. 나는 한숨을 내쉬며 편한 대로 부르라 하였다.

"그럼 그냥 편하게 깡패로 부를게요"

"뭐?"

"아까 싸우는 걸 보니 깡패가 따로없…"

"아무리 그래도 그건 너무 편하잖냐"

"아… 그럼… 음… 폭력배…"

아이비가 진지하게 고민하고 있다… 진심인가… 나는 더 험한 별명이 붙기 전에 입을 열었다.

"하… 그냥 아저씨라 불러라"

"아 그러죠 뭐 방금 좋은 이름이 떠오를 뻔했는데… 뭐 아무튼! 방금 아저씨가 혼자서 부산 갱단을 무너뜨리는 걸 봐서요…!! 아저씨 정도면 저를 지켜주실 수 있을 것 같아서요…"

그 애는 나에게 절박한 눈빛을 보내왔다. 너무나 절박한 이 애를 보고 상황을 들어보기로 했다.

"누구에게 쫓기는 거지?"

"음… 너무 많아서 못 셀 정도에요. 저는 거의 전국 모든 갱단의 타겟이니까요…"

"뭐? 모든 갱단? 너 뭐 하는 놈이지?"

"제가… 그 좀 아는 정보가 많고 머리도 뭐 똑똑한 편이기도 하고 뭐…음…"

"지금은 장난치지 말고 제대로 말하는 게 좋을 거다"

나는 총을 다시 그 아이비에게 조준했다.

"아!! 네네네네네 그 그게 말이죠? 제가 좀 아는 정보가 상당히 많거든요? 미래 한국의 거의 모든 정보는 제가 꿰뚫고 있다고 봐도 무방할 정도로!!"

"그리고 제가 말하긴 좀 뭐… 하지만 머리도 상당히 좋거든요!!

그런 제 정보들과 지식을 노리고 찾아오는 갱단들이 한두 개가 아니에요…!!"

"그래서 집 밖에서는 쫓기는 신세였거든요. 그래서 오늘도 필요한 물품 좀 찾으러 나왔는데 그러다 아저씨가 방금 부산 갱단을 무너뜨리는 걸 보았고… 아 저 사람 정도면 날 지켜줄 수 있겠다! 싶어서 말이죠…"

그 애 아이비는 상당히 빠르게 말을 이어갔다.

"잠깐잠깐…!! 그래 알겠다 무슨 상황인지는 알겠어. 그럼 만약 내가 널 지켜준다면… 내가 얻을 수 있는 건 뭐지? 안 그래도 나는 시간이 없다… 그냥 널 지켜주면서 시간을 낭비할 수 없어"

아이비의 표정이 빠르게 변화한다. 미소를 지었다가 울상이 되더니 다시 웃다가 절망스러운 표정으로… 아이비의 스쳐 지나가는 많은 생각이 표정으로 전부 드러나고 있었다. 그러다 무언가 떠올랐는지 나에게 웃으며 말했다.

"정보를 줄게요"

"뭐?"

"아저씨가 원하는 정보를 제가 줄 테니까 아저씨는 저를 지켜주세요"

"원하는 정보 무엇이든?"

"네네! 무엇이든 무엇이든 다 말이에요"

"근데 내가 정보가 필요한 건 어떻게 알고서는 그 조건을 거는 거지?"

"아니… 어떤 사람이건 좀 사소하더라도 필요한 정보가 있을 거 아니에요"

"예를 들어서 편의점에 좋아하는 게 다시 입고되었는가라든지 아니면 영화의 개봉일이라던가…"

"그런 정보는 필요 없다"

"아니 근데 방금은 정보 필요하시다면서요 제가 말한 것들 말고도 다른 정보들은 웬만해서는 다 드릴 수 있어요!!"

그 애가 당당하게 말했다.

"그렇다면… 내… 딸에 대한 정보도 알아볼 수 있나?"

"딸…이요?"

방금까지 당당하고 컸던 아이비의 목소리가 자신감 없는 작은 목소리로 변했다.

"그렇다 최근 납치되었어…"

아이비가 10초간 아무 말도 하지 않고 내 얼굴만 바라보다가 입을 열었다.

"…그…그럼요~ 아마도요… 그 일단 찾아봐야 할 텐데…"

"알았다 일단 찾아볼 수는 있다는 건가?"

"아 네…뭐 네…"

"딸에 대한 조금의 정보라도 찾아낸다면 너는 내가 지켜주도록 하지"

"그럼 일단 집에 가아 해요"

"뭐??? 갑자기 집은 왜가??"

"그게… 제 집에 음…휴대용 태블릿 하고… 음… 제 개조된…"

"뭐? 태블릿? 태블릿은 어디다 쓰는거냐?"

"뭐 정확히는 태블릿이 아니라 태블릿처럼 생긴 제가 만든 장치이긴 한데…"

"그게 뭐지?"

"그냥… 뭐랄까 제가 정보를 얻는 가장 중요한 수단이라고나 할까요?"

"그걸 통해서 다른 주변 CCTV나 파일에 접근해서 정보를 얻어내는…"

"뭐….?"

"네 그런데 쓰이는 거예요"

"아…"

"역시 모든 갱단의 정보를 털었다 할 때 부터 의심스럽긴 했지만… 진짜 해커였군"

내가 해커라고 하자 아이비가 횡설수설하며 말을 이어갔다.

"뭐… 어떻게 어떻게 하고 또 어떻게 보면… 뭐…"

아이비가 또 10초 동안 침묵했다. 그리고 한숨을 내쉬며 답했다.

"네 해커 맞아요. 반박 못 하겠네요"

아이비는 방금까지 수많은 생각이 머리를 스쳐 갔으나 그냥 포기하고 말한 거 같았다.

"원래 꿈은 해커가 아니었는데… 어쩌다 보니 이렇게 돼버렸네요"

"그래 뭐… 난 내가 필요한 정보만 있으면 되니… 상관 없다."

"그럼 네 집으로 빨리 가지"

"그럼 저 지켜주시기로 하는 거죠?"

"그건 네 집에 가면 결정되겠지"

"칫… 빡빡하시네! 따라와요"

아이비가 골목을 먼저 나서 어디론가 걸어간다. 나는 아이비의 뒤를 빠르게 좇아갔다. 그렇게 한참을 걷다 갑자기 아이비가 멈춰서며 말했다.

"잠깐만요"

"음?"

"딸에 대한… 뭐라 할까 사진이라도 있어요?"

나는 불타는 집에서 딸이 준 꽃 브로치와 함께 가지고 나왔던 어린 딸의 사진을 가져왔다.

"와~ 귀엽다 네 이 사진이면 될 거 같네요. 출발할까요?"

"그걸로 어떡하려는거지?"

"음…. 전국의 보안 카메라들을 전부 접속해서 기록들을 살펴보면서 이 사진과 가장 비슷한 사람을 찾아 목적지를 정할 거예요"

"전국의 보안 카메라를? 가능하겠나?"

"하 아저씨 절 너무 물로 보시는 거 아니에요? 저 얼마나 똑똑한데"

"이건 똑똑하기만 하다고 할 수 있는 영역이 아닌 거 같은데"

"그럼 천재인가 보죠. 뭐"

아이비는 말을 마치고 다시 걸음을 옮겼다.

"근데 어쩌다가 그렇게 쫓기는 신세가 된 거지?"

내가 아이비의 뒤를 따라가며 물었다.

"음… 건드려서는 안 되는 정보를 건드렸다고나 할까요… 뭐 이것저것 인터넷 돌아다니다가 쫓기게 됐어요"

"그냥 이곳저곳 정보 털다가 걸려서 그 녀석들의 타겟이 된 거군"

"뭐 굳이 굳이 굳~~이 요약하고 또 요약하자면 그렇게 말할 수도 있겠죠"

아이비가 장난스러운 말투로 말했다.

"허…"

그렇게 좀 오래 걸었다. 근데 어디론가 이상한 곳으로 가는 거 같았다.

여기는… 지하상가…?

"근데 어디 가는 거지?"

이상함을 느낀 나는 다급하게 아이비에게 물었다.

"네? 어디 가냐고요? 아니 제 집 간다고 했잖아요"

"아니 그건 안다. 근데 지금 우리가 들어가는 건… 지하상가인데…"

"네 맞아요. 지하상가 내려가야 해요"

"노숙자였나"

"뭐요?? 노숙자??? 허 참 어이가 없어가지고 아저씨 농담도 할 줄 알아요?"

"팔 보면 로봇 같은데"

"아니 지하상가가 집이면…"

"아 그냥 따라와 봐봐요"

"만약 허튼 곳으로 가 내 시간을 낭비한다면 너를 향한 내 보호도 여기까지…"

"아~~!!! 조용조용 아~~ 듣기 싫어 듣기 싫어!! 빨리 오기나 하세요!!!"

아이비가 지하상가로 내려간다. 나는 좀 의심되기도 했지만 일단 따라갔다. 그러고 나서 또 조금 걷자 엘리베이터가 하나 나왔다.

"딱 봐도 지상이랑 여기밖에 못 가는 거 같은 구식 엘리베이터는 왜 온 거냐"

아이비가 엘리베이터 버튼을 누르며 말했다.

"헐~ 아저씨 부산 처음이군요? 그냥 와봐 봐요. 신세계를 보여드릴 테니"

엘리베이터가 도착했다. 아이비는 엘리베이터에 들어가서 나에게 빨리 오라는 손짓을 했다. 나는 못 미더웠지만 우선 속는 셈 치고 엘리베이터에 탑승했다. 아이비는 지하 2층을 눌렀다.

잠깐 지하상가는 지하 1층이었다. 지하 2층이 존재하는 건가?

엘리베이터가 내려가기 시작했다. 상당히 많이…

"아이비 지금 이거 어디로 가는 거지"

"아니 집 간다니까요"

"아니… 아"

그때 엘리베이터가 어딘가에 도착한다.

"드디어 다 왔네! 빨리 내려요. 시간 없다며요"

아이비가 엘리베이터에서 뛰쳐나갔다.

"이게…무슨…"

아이비의 뒤를 따라 나간 지하 2층에는…

거대한 지하도시가 있었다.

***

그렇게 도착한 부산 지하도시…

"이런 곳이 있는 줄은… 몰랐군…"

엘리베이터에서 내리자 거대한 부산의 지하도시의 모습이 보였다. 지하에 이렇게 큰 도시가 있었다니… 무슨 일에 쓸려고 이렇게 만들어 뒀던 거지? 이 지하도시는 내 프로그램의 지도에도 나타나 있지 않았다.

"아 모르셨었구나… 뭐 그럼 도시 좀 둘러보세요"

아이비는 지하도시를 향해 뛰어갔다. 그러다 뒤돌아서 나를 보고 소리쳤다.

"전 제 집에 가서 조사 좀 해볼게요. 조사가 끝나면 제가 찾아갈 테니까…"

"알았다"

말을 마친 아이비가 다시 어딘가로 뛰어가기 시작했다. 나는 어쩔 수 없이 일단 무작정 돌아다녀 보기로 했다. 나는 주변을 둘러보며 생각했다.

이곳에서 태양 빛과 산소는 어떻게 공급되는 거지? 이 많은 사람은 어디에서 온 거일까? 지도에도 나타나 있지 않던 이유는 뭐지? 무언가 엄청 신기한 곳이었다.

계속 돌아다니면서 느낀 것은 생각보다 무언가 많았다. 지상과 다르게 군인과 군인 로봇도 돌아다니며 치안을 유지하고 있고 뭔가 이곳에서는 갱단의 움직임은 보이지 않는듯한…

지상 세계보다 더 질서가 잡힌 안정적인 느낌이었다. 지상은 내버려 두고 지하가 이렇게 더 안전해 보이다니 뭔가 잘못된 거 아닌가… 나는 우선 방금의 전투로 상당히 소모된 왼팔의 에너지를 얻을 수 있을까 하여 군용 물자 전문점을 찾아갔다.

이 지하도시를 한 바퀴를 돌아본 후 돌아다니면서 본 지하도시에서 가장 큰 상가를 찾아가서 문의해 봤으나…

"그 에너지이요? 그거 구하기 상당히 힘든 건데…"

내 질문에 상인이 난처한 얼굴로 바라봤다.

"그럼 어쩔 수 없군. 고맙네"

"그… 상점 주인이 돼서 이런 말 하긴 뭣 한데…"

상점 주인이 주변에 사람이 없는지 확인하고 귓속말로 말했다.

"그 암시장이라도 찾아가 보시는 게 어떠세요?"

"아마 여기서 동북쪽으로 쭉~ 가면은 군용 물품은 물론 좀 희귀한 물품도 파는 암시장이 하나 있긴 있는데…"

"그런가… 고맙다"

"예~"

나는 그 상가 주인의 말을 듣고 암시장으로 발을 옮겼다. 그런데 걷다 보니 느낀 이상한 점은 이곳 사람 중 몇몇은 나를 보고 놀라는 것이었다. 하긴 한쪽 팔이 이런데 놀랄 만도 하겠다. 아니 근데 요즘은 사람들도 의수를 많이 차는 편인데… 우선 나는 왠지 모를 부끄러움에 빨리 암시장을 찾아 걸음을 옮겼다.

그렇게 상인이 말해준 방향으로 한참을 걷다 구석쯤에 도달했다. 그곳에는 작은 하나의 암시장이 있었다. 암시장은 구석 골목에 매우 작게 운영되고 있었다. 나는 암시장에 다가갔다.

"여기에서 희귀한 물품을 많이 취급한다고 들었는데…"

안에서 분주하게 움직이던 한 사람이 나와서 나를 맞이했다.

"어? 아… 아 어서 오세요~ 네 맞습니다. 저희 암시장이 웬만한 군 물자나 희귀한 물건들은 전부 취급하지요"

"웬만한 물품은 다 있다고 보시면 됩니다"

"그럼… 필요한 거 있으십니까?"

나는 잠시 상인의 얼굴을 바라봤다. 어디서 많이 본 듯한 얼굴이었다…. 하지만 우선 에너지를 구하는 게 중요하다.

"저기 뭘 사러 오셨는지…"

내가 아무 말 하지 않고 바라보고 있자 상인이 물었다.

"아 여기 군용 의수 전용 예비 에너지를 파는가 보다시피 내 왼팔이 이렇게 된 상황이라 말이지"

　내 팔은 아까 부산 갱단과의 싸움에서 에너지 굉장히 소모된 상황이었다.

　"아…군용 예비 에너지요? 아… 군용 예비 에너지라… 씁… 이게 매우 희귀한 매물이라…"

　"가격이~ 쪼금 나가거든요…"

　"돈은 얼마든지 있으니 그냥 있는 매물은 전부 가져와라"

　상인이 놀란 표정으로 나를 바라봤다.

　"예… 그럼 된 거지요 잠시만 기다려 주십쇼잉"

　그 상인이 뒤에 있는 사람에게 말했다.

　"군용 에너지 좀 있는 거 다 가져와!"

　그러자 뒤에 있던 상인이 더 안으로 들어갔다. 그 뒤에 있는 상인도… 잠깐… 아주 잠깐 봤지만 내가 아는 사람과 신기하게 닮았다. 나는 앞에 있는 상인에게 물었다.

　"혹시… 둘이 무슨 관계인가?"

　"예?"

　"가족인가?"

　"아… 그 네네 맞습니다. 형제지요"

　"아… 알았다 이름은 어떻게 되지?"

　"이름이요? 그건 무슨 일로…"

　"그냥… 내가 아는 사람과 너무 닮아서 말이네"

　"그…"

　"윤서호라고 합니다. 윤서호"

　"그런가… 그럼 뒤에 있던 상인은?"

　"뒤에 있는 상인은~~~…"

　"윤시후입니다. 네"

　"그런가… 알겠네"

　나는 상인과의 말을 마치고 뒤에 들어갔던 상인이 나올 때까지 기다렸다. 그렇게 약 몇 분 기다리자 안에서 상인이 나왔다.

"왜 이렇게 오래 걸려?"

"아니 이게 구석에 숨겨져 있더라고!"

그 상인은 나에게 무슨 가방 하나를 건넸다. 서류 가방 같았다. 그 가방을 열자 안에 에너지가 채워진 작은 유리병 여러 개가 가지런히 놓여있었다. 나는 프로그램으로 내 팔과의 호환성 검사를 진행했다… 다행히 호환성은 맞았다.

"얼마인가"

"음… 3,000만만 주십쇼 뭐 특별히 깎아 드릴게"

"그리고 그 에너지 사 가는 사람도 별로 없어요…"

"…그런가"

나는 상인에게 바로 돈을 이체하였다. 그리고 가방을 챙기고 그 암시장을 떠나려 했다.

"잘 가셔요~ 나중에 필요한 물품 있다면 들리시구"

나는 암시장 상인들을 바라봤다.

"…당신과 옆에 있는 상인…"

"네?"

그 두 사람은 상당히 당황한 모습이었다.

"그냥 무언가 반가웠다는 거야 나중에 꼭 다시 들르도록 하지"

"예…예~"

나는 그렇게 그 암시장을 뒤로하고 걷기 시작했다. 나는 주위를 계속해서 둘러보며 걸었다. 역시 지하도시에도 밝은 부분과 어두운 부분이 있는 건가… 암시장이 있는 곳은 엘리베이터에서 내린 후 한 번에 봤던 지하도시의 모습과는 달랐다. 여기도 지상과 같이 어둡고 네온사인들의 빛으로 살아가고 있었다.

"아니 아저씨 언제 거기까지 가셨어요???"

저 멀리에서 아이비가 달려온다.

"아 아이비 조사는 끝난 건가?"

"허억…허억… 제가 말이에요 아저씨 찾기 위해 얼마나 많이 뛰어다녔는지 알기나 하세요?"

내 앞에 도착한 아이비가 숨을 몰아쉬며 말했다.

"그건… 내가 어떻게 아냐"

"뭐… 그건 그렇죠. 그냥 해본 말이었어요"

"근데 아저씨… 저 암시장에서 뭐 샀어요?"

"음? 아 에너지 보충을 위해 조금 샀다."

"와… 에너지요? 쩐다 군용 물품이면 가격 좀 많이 나갈 텐데 아저씨는 재력도 조금 받쳐주시나 봐요?"

아이비가 에너지가 담긴 가방을 신기하게 바라보며 말했다.

"뭐… 엄청 그런 건 아니지"

"아저씨는 어느 정도 재력이 된다… 메모"

"쓸데없는 소리는 집어치우고… 그래서 내 딸에 대한 단서는… 찾아낸 건가?"

"당연히 조사를 좀 해봤죠"

아이비가 허리에서 이상한 장치 하나를 꺼냈다. 핸드폰 같지 않은 이상한 장치 크기는 평균적인 태블릿의 크기와 비슷했다.

"설마 그게 그…"

"맞아요! 아이비 표 인터넷 정보 수집기!!!"

"이거면 미래 한국의 웬만한 정보들을 전부 볼 수 있죠!! 제가 개발한 거예요. 어때요 대박이죠?"

아이비가 흥분해서 말을 이어갔다.

"그래서 내 딸에 대한 단서는…?"

"차갑네… 뭐 자세한 사항은 제집으로 가야 해요 이 인터넷 정보 수집기안에는…"

"그냥 해킹도구라고 말해라"

"… 하 어쩔 수 없이 편의성을 위해서 그렇게 부르도록 할게요. 어쨌든 제 해킹도구 안에는 아직 데이터를 안 넣어 놔서 집에 있는 컴퓨터로 가야 해요"

"그럼 그 해킹도구는 왜 보여준 거냐"

"그냥 보여드리려구요"

아이비가 머리를 긁적이며 말했다.

"후… 그래 네 집으로 가자"

"넵! 자 그러면~"

"제집은 여기서 저 골목으로 가고 또 저기서 돌아서 직진한 다음에 저기로 다시 돌고 아 잠깐 잘못 말했어요. 방금 한 2단계 정도 뒤에서 직진하라 했었는데 직진이 아닌 오른쪽으로 바로 가야 해요 그리고 나서 다시 왼쪽으로 가고…"

"잠깐… 잠깐!! 그냥 말로 하지 말고 네가 앞장서서 걸어가라 내가 뒤따라가도록 하지"

"네… 뭐 그러죠!"

그렇게 나는 아이비의 뒤를 따라 아이비의 집으로 향했다. 그렇게 걷던 중에 내 눈에 무덤 하나가 들어왔다.

이런 평범한 길에… 웬 무덤이지? 그런데 신기한 점은 무덤의 옆에 생일을 축하한다는 축하하는 장소도 있었다. 이게 무슨 상황인 거지? 혼란스러워 아이비에게 물었다.

"저건… 뭐지? 아이비"

아이비가 가던 길을 멈추고 그 무덤을 바라봤다.

"아… 저거요? 그… 뭐라 해야 하냐… 곧 있으면 어떤 사람의 생일인데 그 사람이 자신의 생일날에 죽었었거든요"

"…생일이 곧 기일이 된 거죠"

아이비의 표정이 잠시 어두워졌다.

"너와 관련 있던 사람이었나…?"

아이비가 놀란 듯 나를 바라봤다.

"네? 아 네 맞아요. 저랑 관련이 있던…. 관련 그 이상의 무언가가 있었던 분이세요"

아이비는 쓴웃음을 지으며 날 바라봤다.

"미안하군… 괜히 물어봤던 거 같구나"

아이비는 한동안 말없이 무덤을 바라보다 말했다.

"괜찮아요. 요즘은 별로 아무렇지 않아요"

말을 마친 아이비의 발걸음이 더 빨라진 듯했다.

"얼마 안 남았어요. 빨리 와요!!"

아이비는 애써 밝은 목소리를 내려고 노력하는 모습이 보였다. 나는 아무 말도 하지 않고 아이비의 뒤를 따라갔다.

***

그렇게 아이비를 따라 걷다 보니 도착한 아이비의 집 아이비의 집은 지하로 내려갔다.

"지하도시의 지하에 있는 집 뭔가 낭만 있지 않아요?"

아이비가 앞에서 걸어가면서 말했다.

"너랑 내가 아는 낭만이 좀 다른 거 같군"

"헤"

"뭐 일단 들어오세요. 뭐 특별한 건 없는데…"

아이비가 집 문을 열고 들어갔다. 나도 아이비를 따라 그 애의 집으로 들어갔다. 집의 문이 열리자 뭔가 불쾌한 냄새가 풍겨왔다. 그리고 매우 어두웠다.

"어디 있더라 잠시만요 불 좀 켤게요…"

아이비가 집에 먼저 들어갔다.

"우왓 뭐야 저거는…?"

찍찍…

"으아이 씨@#$ 쥐다!!!"

불이 꺼진 집에서 아이비의 비명이 들리고 얼마 안 돼서 집의 문으로 쥐가 나왔다. 그리고 또 얼마 안 지나자 아이비가 안에서 불을 켰다. 아이비의 집은 거실 하나 방 하나 그리고 화장실 하나로 이루어져 있는 그리 크지 않은 집이었다. 거실은… 거의 쓰

레기들이 1/3을 차지하고 있었다. 방금 문이 열렸을 때 풍겨온 불쾌한 냄새는 아마 저것들 때문이겠지

"짜잔~!"

아이비가 내 앞에서 팔을 벌리며 튀어나왔다. 그리고 집을 한번 둘러보더니 내게 말했다.

"뭐… 나쁘지 않죠?"

"…"

"헤헤…"

"아 저쪽 방으로 가요 저기에 컴퓨터가 있거든요"

아이비가 거실을 지나 자신의 방으로 걸어간다. 나는 집을 둘러보며 아이비를 따라갔다. 아이비가 방에 들어가기 전 나를 바라보고 서 있었다.

"왜 이렇게 두리번거려요. 여고생 집 처음 오세요?"

"뭐?"

"아하하 농담이에요 농담 조크 뭔지 알죠?"

말을 마친 아이비는 방 안으로 들어갔다.

"아이비…!"

나는 아이비의 뒤를 따라 아이비의 방으로 들어갔다. 방금 쓰레기가 흩뿌려져 있던 거실과 다르게 이 방은 그나마 조금 깨끗했다.

아이비가 자는듯한 분홍색 침대… 침대 위에는 여러 가지 옷들이 널브러져 있었다. 그리고 컴퓨터… 모니터가 5개 정도가 되었고 그 컴퓨터 옆에는 여러 가지 많은 부품이 쌓여있었다. 다시 생각해보니 그리 깨끗해 보이지 않았다.

어쨌든 그 부품들 옆에는 냉장고가 있었으며 그 냉장고 옆에는 아이비가 마신 듯한 많은 커피 캔들이 보였다. 그리고 마지막으로 여러 종이 파일들을 보관해 두는 파일 보관함들이 있었다. 그리고 그 파일 보관함 위에는 책 한 권이 놓여있었다. 의학 용어…?

"의학 용어? 너, 꿈이 의사였나?"

내 말에 아이비가 파일 보관함 위에 있는 책을 한동안 말없이 응시했다 그리고 시선을 자신의 컴퓨터로 돌리고 대답했다.

"뭐… 그렇죠. 아직 포기하지 않은 꿈이에요"

"근데 왜 지금은 해커 일을 하는 거지?"

"그건… 좀 말하긴 복잡하네요. 뭐 어쩌다 어쩌다 보니 이렇게 됐어요"

아이비의 표정이 무언가 많은 감정이 뒤섞인 표정이었다. 나는 더는 묻지 않기로 했다.

"… 뭐 그건 그렇다 치고 정리 좀 하고 살아라"

"헐… 웬 잔소리… 제가 알아서 할게요!"

말을 마친 아이비는 자신의 해킹도구로 딸의 사진을 찍었다. 그리고 그 해킹도구를 컴퓨터로 연결하고 무언가 많이 건드리기 시작했다. 그러자 내 딸의 사진이 어떤 프로그램에 올라가고 무언가 많은 창이 떴다가 사라졌다 무수한 코드들이 위로 올라갔다가 사라졌다가… 어지러웠다. 나는 컴퓨터를 잘 다루는 편은 아니기 때문에 아이비가 무엇을 하고 있는지는 잘 알아볼 수 없었다… 아이비가 한동안 무언가를 열심히 건들고 있다.

"흠… 복잡하네요.…"

컴퓨터를 바라보던 아이비가 한숨을 쉬면서 말했다.

"뭐 무슨 문제 있나?"

"그게 그… 아저씨 딸의 정보가 보이는 곳이 한두 개가 아니라서…"

"뭐라고? 자세히 말해봐라"

"그러니까 그 아저씨 딸의 정보가 전국에 몇몇 특정 지역에 나타나고 있어요"

"예를 들어 사라지기 전 있었던 곳이라던가…"

"그런 정보만 나오나? 현재 위치는 알 수는 없고?""

"네 현재 위치는 잘 모르겠네요"

"그런가… 그렇다면 내 딸의 정보가 나타나고 있는 지역은?"

"음… 잠시만요…"

아이비가 또 무언가를 많이 건드린다. 그러자 화면에 몇몇 개의 창이 나타났다.

"음… 울산 광주 대구 대전 서울 정도로 나타낼 수 있겠네요"

"뭐? 그렇게나 많아? 네가 잘못 알아낸 건 아니고?"

"뭐요? 저를 못 믿어요? 허 참!! 뭐 증명이라도 해드려요?"

아이비가 나를 노려보며 소리쳤다. 아마도 내가 아이비의 자존심을 제대로 긁은 것 같다.

"뭐 증명? 뭐로 증명할 거지?"

"기다려 봐요"

아이비가 컴퓨터에 연결돼있던 자신의 해킹도구를 빼내었다.

"아저씨 국군소속이죠?"

"아니 그만뒀다."

"아니 그 그만둔 거는 그만둔 거고… 전에는 국군소속이었잖아요"

"국군소속인 건 그냥 다른 애들도 찍어서 맞출 수 있겠다."

"허 참… 소속까지 밝혀야 해요?"

"해봐라"

"하하… 잠깐만 기다려요"

아이비가 나를 바라보며 해킹도구를 더 건드렸다. 그러다가 드디어 찾았다는 듯 자신만만한 표정을 짓더니 당당하게 입을 열었다.

"미래 한국 국군 제101 특수임무단 소속 심지어 소장이셨었네요? 투스타네…ㄷㄷ"

"그걸… 어떻게 안거지"

"와… 이 특임단 소장이 진짜였다니 왠지 아저씨 어디서 많이 봤다 했어요"

"저 특임단들 정보들을 꽤 알거든요 그런데 이 특임단은 다른 곳과는 다르게 아예 존재 자체가 기밀 사항이잖아요"

"심지어 소속 대원들의 신상 정보 자체가 2급 이상의 군사 기밀인데…ㄷㄷ 심지어 저조차도 이 특임단의 정보는 자세히 모를 정도예요"

"내 정보는 어떻게 봤던 거지 그럼?"

"그… 알잖아요. 네 좀 깊게 들어가 봤죠"

"국군 시스템을?"

"헤"

"…"

"어떻게 그 정도로 잘 알고 있는 거냐"

"아저씨에 대해서는 방금 제 인터넷 정보 수집기로 아저씨 좀 분석했어요."

"그리고 제101 특임단은 평소에도 관심이 많았거든요. 존재 자체가 기밀 사항이리니… 알고 싶어지잖아요"

"어때요. 좀 믿음이 가요?"

"흠… 그래 일단… 그렇다 하지"

이 애 상당히 위험한 것 같기도 하다. 군사 기밀을 이 정도로 알아낼 정도라면…

"아니 아저씨 누가 봐도 아직 날 믿지 못하는 눈치인데"

"하… 아저씨…"

아이비가 한숨을 쉬면서 자신의 해킹도구를 또 만지작거린다. 그러다 놀란 표정으로 다시 나를 바라봤다.

"어? 아저씨 무슨 프로그램을 이식하셨네요?"

"그 프로그램까지 알아낸 건가…"

생각보다 저 해킹도구는 성능만은 확실해 보였다. 나를 찍더니 내 프로그램까지 알아냈다.

"헐 아저씨 근데 왜 이렇게 구식 프로그램을 써요"

아이비가 경악하면서 말했다.

"미래 한국 제101 특수임무단 프로그램 1.0이라니… 와 이거 암시장에 내다 팔면 희귀성 때문이라도 돈 좀 받겠는데요?"

"뭐? 구식이라고? 아닌데 이거 개발한 지 얼마 안 된 거다"

"네??? 아닌데… 그거 진짜 오래됐는데… 한 적어도 최소 5년은 된 거예요. 아니다 더 됐나… 아무튼!"

"다른 사람들은 다 업데이트해서 이제는 사라진 프로그램인 줄 알았는데 이걸 아직도 사용하고 계실 줄이야"

"넌 근데 이 프로그램을 어떻게 알고 있던 거지? 우리 제101 특수임무단에만 배포되었던 프로그램인데"

"전 거의 모든 정보를 다 가지고 있다니까요? 제게 묻지 마세요. 전 언제나 같은 답을 할 테니"

"전 모든 정보를 갖고 있어요"

어느샌가 아이비가 어딘가에서 이상한 선글라스를 꺼내서 쓰고 있었다.

"…"

"이거 너무 옛날 프로그램인데… 이 정도 옛날이면 이 지하세계 지도도 없을 거 같은데요?"

아이비가 자신의 해킹도구를 만지작거리며 말했다.

"그래, 없다 맞아"

"흠… 뭐야 그럼 암시장은 어떻게 갔었던 것에요?"

"그냥 상점에서 알려주는 대로 해서 갔는데…"

"와… 이건…"

"안 되겠다 업데이트해드릴게요"

"뭐? 업데이트?"

"네네"

"너를 어떻게 믿…"

"아직도 못 믿으시네… 진짜로 이래서는 저도 정보 못 드려요!"

아이비가 확실하게 딱 끊어 말했다.

"큼…"

"그냥 계세요 아저씨 프로그램은 너무 옛날 프로그램이라 이거 커뮤니티도 아직 1.0버전에다가… 이야…"

아이비가 감탄했다. 그 정도로 심각하다고?

"그래… 맘대로 해라"

"진짜요? 진짜죠? 허락한 거예요?"

"그래그래…"

"잠깐 그럼 잠시만 기다려 보세요"

아이비가 방구석에 쌓여있던 부품들을 뒤적거리다 부품 하나를 꺼내왔다. 그리고 내 귀 뒤에 있던 버튼에 그 부품을 연결했다. 그리고 컴퓨터에서 선 하나를 길게 늘인 뒤 그 부품에 연결했다. 그리고 의자에 앉아서 여러 가지 프로그램을 또 만지기 시작했다. 내 눈앞에 갑자기 무슨 창이 떴다.

[프로그램 업데이트를 진행 시키겠습니까? 업데이트 명:아이비 프로그램 8.31]

아이비 프로그램?

"잠깐 아이비 이거 네가 만든 프로그램이냐?"

"네 맞아요. 왜요?"

"왜냐고? 내가 너의 보안 시스템이나 그 프로그램에 뭐가 있는 줄 알고 지금 네 프로그램을 믿고 설치하라는…"

"아 그냥 좀 믿어보라니까요!! 설치합니다!!"

"야 잠시만…!!"

내 말이 끝나기 전에 아이비가 파일을 보내기 시작했다.

[업데이트 승인 다운로드 준비 중]

난 그냥 반포기 상태로 다운로드가 완료될 때까지 기다렸다…

그렇게 한 10분 정도를 기다렸다.

"아이비 이거 다운로드가 원래 이렇게 느리나?"

나는 아이비를 바라봤다. 아이비는 손을 바쁘게 움직이고 있었다.

"아이비…?"

"아… 네? 아 네 좀 걸려요. 그거 아저씨 기존 프로그램이 애초에 너무 옛날 버전이라 다운로드가 좀 걸려요"

"그럼 지금 넌 뭐 하고 있지?"

아이비가 조심히 나를 돌아보더니…

"게임 한판…"

"정신 나갔나? 지금 이 상황에 게임질하고 있다고?"

"아 죄송해요 ㅋㅋ 예… 어? 다운로드가 다 된 거 같은데요?"

아이비가 다급하게 키보드를 연타했다.

[다운로드 완료 프로그램을 재시작합니다]

순간 모든 프로그램이 꺼졌었다. 그리고 다시 불이 들어왔다.

[지형, 지도 업데이트 및 몇몇 부가 서비스 등등 업데이트 마무리 중]

[아이비 프로그램 8.31버전 다운로드 완료]

프로그램 다운로드가 마쳐지자 이 지하도시의 지도가 업데이트되었다. 그리고 몇몇 뭔가 시스템이 많이 생겼다. 아이비가 내게 연결돼있던 부품을 분해했다.

"좋~아요 이제 그걸로 메시지도 보낼 수 있고 지도도 업데이트되고 뭐 여러 가지가 업데이트되고 또 생겨났을 거예요"

"아이비"

"네?"

"다음부터는 행동할 때 생각하고 행동해라"

"아 네…"

"어쨌든 이제 저 믿는 거죠?"

근데 이 애 말고는 제대로 된 정보원을 제대로 만날 가능성은 현저히 낮다… 그리고 저 해킹 실력은 꽤 뛰어난 거 같으니… 이

애를 믿어볼 수밖에

"그래… 믿어보지 그럼 이제 내 딸에 대한 정보를 다 알려줘"

"네 그럼 잠시만 기다려 주세요!"

***

"자 작전 브리핑을 시작하겠습니다~!"

아이비가 컴퓨터의 화면을 홀로그램 화 하더니 벽에 거대하게 띄웠다. 그리고 막대 하나를 들고 계획을 말하기 시작했다.

"우선 아저씨 딸의 정보가 발견된 곳은 총 6곳이에요"

아이비가 막대의 무슨 버튼을 누르더니 화면이 넘어가기 시작했다.

"각각 대구, 서울, 울산, 대전, 광주이죠"

"그것도 전부 그곳의 어떤 장소에서 움직임이 끊겼어요"

"그리고 다음 지역의 다음 장소에서 다시 움직임이 나왔다가 또 끊기고… 진짜 이상한 점이 한두 개가 아니에요"

"움직임이 끊겨? 그 지역의 장소?"

"그런 곳에 내 딸에 대한 정보가 그런 식으로 있다고?"

"아마 제가 찾아봤을 때 나왔던 데이터들을 종합해보면 네 맞아요"

"지금 우리가 부산에 있으니 차차히 올라가는 것을 추천해 드려요"

"아니면 운을 믿고 막 돌아다니면서 찾아보거나"

"뭐 무슨 방법을 쓰든 이 모든 지역을 일단은 다 가보는 것이 아저씨의 딸을 찾을 가능성이 커질 거예요"

"애초에 내 계획도 부산에서부터 차차히 올라가며 모든 갱단을 무너뜨리는 것이었다"

"오! 그럼 잘됐네요. 그럼, 여기가 부산이니 가까운 곳부터 차근차근 가 본다면… 울산, 광주, 대구, 대전, 서울 순으로 가면 편할 것 같네요!"

"근데 이 지역들이 다 좀 위험한 거거든요"

"뭐가 위험하지?"

"이 지역의 갱단들은 요즘 거의 이 도시를 지배하고 있는 정도라 일단 이 지역들로 가게 된다면 그 지역의 갱단과의 싸움은 피할 수 없을 거라고 생각하고 있어요"

"근데 솔직히 말하면 그 도시를 지배한 갱단과 싸워야 하는 거니 그 도시와 싸워야 한다고 생각하면 편해요"

"괜찮아 아까도 말했듯 난 모든 갱단을 부술 생각이었으니 싸우는 건 문제가 되지 않아"

"좋네요"

"그럼 이렇게 되는 거겠네요"

"다시 한번 제대로 정리해볼게요…"

"아저씨와 저 우리는 부산에서부터 울산, 광주, 대구, 대전, 서울 순으로 올라가면서 그 지역의 갱단을 부순 후 아저씨의 딸과 관련된 정보를 찾는다"

"그리고 그 정보들을 모아서 아저씨의 딸이 현재 어디 있는지를 알아낸다."

"그렇게 무사히 딸을 구해낸다… 이거네요"

아이비가 막대를 자신의 침대로 던져놨다. 그리고 다시 컴퓨터로 가서 의자에 앉았다.

"그렇게 되겠군… 아니 잠시만"

"네?"

"너… 방금 나와 너 우리라고 했나?"

"그런데요?"

아이비가 냉장고에서 캔 커피를 꺼내고 캔을 땄다.

"나랑 같이 가겠다고?"

"같이 가는 거 아니었어요?"

아이비가 커피를 한 번에 마시고 캔이 쌓여있는 곳에 던졌다.

"뭐??? 왜지???"

"그냥… 요즘 부산에만 있었거든요. 다른 지역도 가 볼 겸 좀 다른 지역의 물품도 찾아볼 겸 하고 말이죠"

"그리고 아저씨가 지켜주기로 하셨었는데 이런 기회를 놓칠 수 없죠. 지켜주는 사람이 있을 때 다른 지역 가야지, 안 그러면 갱갱단에 잡힐 텐데"

"하지만…"

"싫으면 어쩔 수 없죠"

"하지만 아저씨 제가 도와드리지 않아도 혼자서 찾으러 가실 수 있어요?"

"같이 가게 해주신다면 전 아저씨 옆에서 필요한 정보 있으면 제가 드릴 수 있는 정보, 도움은 다 제공해 드릴게요! 어때요? 같이 가게 해줄 거예요?"

아이비가 눈을 반짝이며 나를 바라봤다. 근데 아이비가 있는 것이 딸을 찾으러 가는 데 확실히 도움이 될지도 모른다. 하지만… 저 애랑 같이 가는 것이 맞는 걸까? 근데 따라오지 말라고 해도 올 것 같은 아이다. 나는 오랜 고민 끝에 아이비에게 말했다.

"그래 알겠다…"

"허락하는 거죠?"

"그래"

"와하!! 얼마 만에 다른 지역을 가 보는 거냐!!"

아이비가 날뛰었다.

"진정해라 우리는 놀러 가는 것이 아니다."

"아 그렇죠 넵"

내 말에 아이비가 다시 진정하고 의자에 앉았다.

"그럼 언제 출발할까요? 내일 출발할까요? 언제 갈까요?"

"내일? 아니 오늘 바로 출발한다."

"…? 네? 진심이에요?"

"당연히 진심이지 난 계속 말해왔지만, 시간이 없어"

"아… 아니 아무리 그래도 좀 쉬는 게 좋지 않을까요?"

"막 갑자기 졸려지면 힘들 수도 있고"

"아이비"

"아 네네… 알겠어요. 그럼 잠시만 기다려줘요. 저 조금 짐이라도 챙기게"

아이비가 의자에서 일어서 옆에 있던 가방에 무언가를 많이 집어넣기 시작했다.

"알았다 난 밖에 나가 있지"

"아 아저씨 이거 가져가세요!!"

내가 집을 나가려 하자 아이비가 무언가를 던졌다. 던진 것은… 차 키…?

"너… 차도 모는 거냐?"

"차… 뭐… 그렇죠?"

"운전은 할 줄 알고?"

"네! 많이 해봤어요. 그러니까 믿어봐요"

"차는 집 앞 있으니까 그 먼저 가 있으면 저도 곧 따라갈게요"

"뭐? 저 차가 네 차였나?"

"네네"

"… 일단 알았다."

나는 방에서 분주하게 움직이는 아이비를 뒤로하고 아이비의 집을 나섰다. 내 계획이 틀어졌다. 아이비와 같이 가게 된다니 정보만 얻고 가려 했으나 아이비가 합류하게 되었다.

…

나는 우선 아이비의 차를 찾아갔다. 집 앞에 있는 차라… 나는 집에서 나온 후 주변에서 차를 찾았다.

"아 찾았…"

근데 이게 차가 맞나? 내가 발견한 차는 진짜 부서지기 직전의 모습이었다. 운전을 어떻게 하길래 차가 이 지경이 난 걸까? 나는 무언가 심상치 않음을 느꼈다. 그때 아이비가 집에서 걸어 나오는 모습을 보았다. 무언가 책가방을 메고 있었고 아까도 말할 때 쓰고 있었던 선글라스를 끼고 있었다.

"너 그 선글라스는 대체 뭐냐 아까부터"

"낭만 몰라요?"

"하… 뭐만 하면 낭만인 거냐?"

"그냥 그런 거로 해요 그냥~ 하하… 사실 장난이고 이 선글라스에 여러 가지 정보 인식프로그램들이 내장되어 있어요. 대박이죠?"

"…아니 근데 너 운전을 많이 해봤다고 하지 않았나?"

"네네 그랬었죠?"

"그런데 차 꼴이 이게 뭐지?"

아이비가 잠시 아무 말 없이 차를 바라봤다.

"음… 제가 많이 해봤다고 했지, 질한다고는 안 했잖아요 한번 운전할 때마다 한 번씩 사고가 났었는데"

"뭐 근데 걱정하지 말아요. 오늘은 뭔가 느낌이 좋으니까"

아이비가 선글라스를 집어넣으면서 말했다.

"하… 근데 이 지하도시에서 차를 어떻게 타고 나가지?"

"걱정 마세요. 그 방금 저희가 타고 내려왔던 엘리베이터 옆에 자동차용 엘리베이터가 있어요. 그거 타고 올라가면 돼요"

"그런가… 웬만한 거 다 있군"

"그래… 그럼 일단 운전은 내가 하도록 하지"

"네??? 왜요~~~"

내 말에 아이비가 축 처졌다…

"너 지금 저 차 상태를 보고 지금 왜 그러냐고 묻는 거냐?"

아이비도 다시 자기 차를 바라본다.

"오늘따라 많이 사고 난 거처럼 보이네 원래 안 저랬는데…"

나는 아무 말도 하지 않고 아이비를 바라봤다.

"칫… 네 아저씨가 운전해요. 그럼… 에잉"

아이비가 차의 뒤쪽으로 걸어갔다.

"휴…"

나는 그렇게 차의 문을 열었다.

…

차의 문이

떨어졌다.

?

"아이비 이거 차가 맞냐"

뒷자리에 탔었던 아이비가 나오면서 말했다.

"아 맞다니까요? 얼…마…나…"

아이비가 차 문이 떨어진 걸 보았다. 나와 아이비 사이의 10초 간의 정적이 있었다. 그러고선 아이비가 하는 말이…

"아저씨 문을 얼마나 세게 잡은 거예요?"

"뭐? 이게 내 문제라고?"

"그럼요! 이 차가 얼마나 튼튼한데…"

아이비가 차의 지붕을 두드렸다. 그러자 차의 모든 문이 떨어지고… 바퀴가 빠지고 그냥 무너졌다. 나는 운전석의 핸들을 잡았는데 그 핸들은 그대로 빠져버렸다… 난 아이비를 바라봤다. 아이비는 당황하며 대안을 생각하고 있는 듯했다.

"이제 어떡할 거지? 똑똑하다면 플랜 B도 있겠지"

"무무무 물론이죠~ 근데 문제가 하나 있어요"

"뭐지?"

"그… 제가 좀 평소에 심심할 때 타던 그 좀 비행 능력을 달은 스케이트보드 그러니까 호버 보드가 있거든요?"

"이거는 근데 1인용이라 아저씨랑 같이 못 갈 거 같은데"

"그거는 잘 타나?"

"네? 당연히 잘 타죠. 원래 차보다는 그걸 더 오래 탔어요"

"그럼 그거 타라 그리고 날 잘 따라와야 한다."

"네? 아저씨는요?"

"나는 뛰어간다."

"헐 진짜 그게 된다고요?"

"그래 되니까 그냥 그 스케이트보드나 가져와라"

"어… 넹~~"

아이비가 다시 지하의 집으로 뛰어갔다. 나는 다시 한번 생각했다 진짜 저 애랑 같이 가는 게 맞는 걸까? 진짜 도시 상대로 싸우게 된다면 저 애가 위험에 처할 수도 있어… 그냥 적당히 하다가 돌려보내야 할까…

하지만 나는 방금 같이 가게 해달라고 할 때 그 애의 눈에서 무언가를 보았다. 장난치는 듯 뭔가 밝은 모습으로 좋아하는 것처럼 보였으나 뭔가 각오를 한 모습을 보았었다 그 애도 무언가가 가야 하는 이유가 있겠지

그렇게 나는 집으로 들어간 아이비를 기다리고 있었다. 한… 5분 정도가 지나자 아이비가 다시 달려왔다. 그 애는 호버 보드에 어깨에 무슨 새 한 마리를 올려놓고 돌아왔다?! 아니 자세히 보니 비둘기 로봇이었다.

"너 그 새 장난감은 뭐냐"

"장난감이라뇨 애 상처받겠다."

"…"

"두부에요 이 애가 제가 정보수집 하는 데 큰 도움을 주거든요"

"두부? 왜 이름이 두부지"

"음… 하얀색이라?"

"작명센스가 꽝이군"

"어이가 없네요"

"뭐… 그럼 이제 출발하나요?"

"그래 울산으로 출발한다."

나는 엘리베이터로 걸어갔다.

***

우리는 울산으로 출발하기 위해 엘리베이터를 타고 올라왔다.

"아저씨 그 저희 출발하기 전에 그 프로그램에 커뮤니티 열어봐
요"

아이비가 눈에다가 렌즈를 끼면서 말했다.

"커뮤니티? 왜지?"

"왜긴요. 뭐 소통도 해야 하고 여러 가지 파일 보낼 때 필요하니
까?"

"커뮤니티로 친구 추가가 된다면 여러 가지 메시지나 파일 등을
주고받을 수 있어요"

"그런가"

나는 업데이트된 프로그램 창의 구석에 있는 작은 커뮤니티 아
이콘을 열었다. 노란색 네모난 모양에 얼굴이 그려진 꽃이 그려져
있는 아이콘이었다. 나는 그 아이콘을 열었다. 커뮤니티 프로그램
안에는 많은 기능이 있었다.

[통화, 메시지, 파일 전송, 친구 관리]

"아저씨 그 프로그램을 열면 친구 관리가 있을 거예요"

"그래 찾았다"

"제가 거기로 친구 요청을 보낼게요"

아이비가 말한 후 얼마 안 지나서 친구목록에서 알림이 날아왔
다.

[새 친구 요청 (1)]

나는 그 친구목록에서 아이비의 친구 요청을 받았다. 아이비의
프로필은 뭔가 많이 꾸며져 있었다.

[아이비:17 자기소개:천재 미소녀 해커]

"좋~아요 그럼 제가 테스트로 메시지 하나 보내볼게요"

또 아이비가 말한 지 얼마 안 지나서 무언가가 날아왔다.

[아이비: :)]

"잘 갔어요?"

"그래 웃는 표정 잘 봤다."

"하하 좋네요. 다행이다. 그럼 제가 곧 파일 하나를 전송할 거예요. 그 파일은 이제 지도에 경로를 나타내주는 프로그램이 들어있는 파일인데"

"파일 받으시면 설치하면 되요 그러면 지도 프로그램에 업데이트가 적용될 거예요"

"이상한 바이러스 같은 게 들어있는 건 아니겠지"

"아니 그게 무슨 소리예요!!!"

"아저씨 의심이 너무 많은 거 아니에요?"

"… 직업병이다"

"아 네…"

"뭐 이쨌든 그 프로그램에 이제 현재 위치에서 저희가 가야 하는 장소까지의 거리를 계산해주고 알려주는 프로그램이에요"

"우선 저희가 처음 가야 하는 곳은 울산이니까 울산으로 가는 길을 표시하면 여러 가지 길이 보일 거예요"

"일단 더 자세한 건 파일 보내고 다운 끝내시면 말해줄게요"

"근데 궁금한 게 하나 있다"

"네?"

"넌… 이 프로그램을 왜 만들게 된 거지?"

"그냥… 핸드폰 들고 다니기 귀찮아서?"

"뭐라고?"

"이거 렌즈에다가 이 프로그램 넣고 쓰면 핸드폰도 굳이 가지고 다닐 필요 없고 얼마나 편리한데요"

"그렇군…"

말을 마친 아이비는 또 무언가를 보냈다.

[파일 공유 요청(1건)]

나는 받은 파일을 열었다. 파일의 안에는 지도 경로 표시 업데이트 파일이라 적혀있었다. 나는 그 파일을 다운로드하기 시작했다. 그리고 파일을 해제 후 내부에 있는 지도 업데이트 설치를 시작했다. 설치하면서 나는 생각했다.

이 애 일단 실력은 일단 확실해 보였다. 17살의 나이에 이런 여러 가지 기능들이 탑재된 프로그램을 만드는 데 성공하고 커뮤니티 시스템까지 새롭게 만들어 내다니… 그것도 핸드폰을 들고 다니기 귀찮다고… 아직 이 애에 대해서는 잘 모르겠지만 일단 똑똑한 건 분명했다.

나는 설치를 완료한 후 지도를 열었다. 지도는 내 현재 위치에서 주변의 모든 건물의 수와 높이 그리고 현재 전국의 교통정보, 비행 교통정보, 신호 상황 등등 모든 것이 실시간으로 업데이트되고 있었다. 그것들을 홀로그램으로도 표시할 수 있었다. 나는 설치된 경로 표시 시스템을 켜 울산을 지정했다.

[안전한 경로: 약 13시간]

[일반 경로:약 4시간]

[최단 시간 경로:54분]

나는 지도의 표시된 경로의 시간을 보았다. 각 경로와의 시간 차이가 너무 심한 거 같은데…?

"아니 54분은 뭐지?"

"아 최단 시간 경로요?"

"그래 그거"

"그건… 이제 신호나 교통상황을 전부 안 따지고 걍 최대한 지금 할 수 있는 모든 수단을 동원해서 갔을 때 걸리는 시간이에요"

"원래의 길로 가지 않거나 현 프로그램의 사용자를 인식하고 그 사용자가 현재 할 수 있는 모든 방법을 사용하였을 시 걸리는 시간이에요"

"뭐… 되게 위험한… 목숨을 걸고 가는 거죠"

"일반 길은 그냥 지금 차 타고 가면 걸리는 시간이고요"

"안전한 경로는 모든 교통상황과 신호 상황과 비행 교통상황의 모든 경우의 수를 따지고 따져서 진~~~짜 진짜 안전하게 가는 경로에요"

"그게 제일 오래 걸리죠"

"진짜 별의별 기능이 다 있군…"

"…"

"54분짜리 경로로 간다."

"예? 진심이에요?"

"그래 최대한 빨리 가야 해"

"아니… 진짜 최단 경로로 가면 진짜 정해진 길로 가는 것이 아닌 막 가야 해요 막 고속도로를 달리거나 벽을 타거나 뭐… 사고 날 가능성이 엄청 크다고요 그건"

"심지어 우리는 차가 있는 것도 아닌데"

"걱정하지 마라 어차피 너는 그 보드 타고 하늘을 날 수 있지 않나?"

"뭐… 그렇죠"

"그럼 내가 걱정돼서 그러는 건가?"

"아저씨 걱정이요? 제가요? 아뇨 아저씨는 걱정 안 돼요"

"부산 갱단 부숴버릴 때를 봤을 때부터 뭐 아저씨가 위험해질 거란 생각은 한 번도 해본 적이 없어요"

"그럼 문제 될 거 없는 거지 54분 루트로 달린다."

"네 출발하자고요"

나는 지도에서 54분 루트로 설정 후 달리기 시작했다. 아이비는 뒤에서 호버 보드로 날아오른 뒤 하늘에서 날 관찰하며 따라오기 시작했다.

"아저씨 바로 가는 거예요? 그렇게?"

그때 뒤에서 따라오던 아이비가 물었다.

"아저씨 로봇 팔이면 막 그냥 로켓이나 막 비행할 수 있는 거 만들어서 날아가면 되는 거 아니에요?"

"이건 그냥 로봇 팔이야 막 변신하는 게 아닌 그냥 로봇 팔이란 말이다"

"아… 그렇구나"

"그냥 지금부터는 달릴 테니 잘 따라와라"

"제 걱정은 하지 말고 아저씨나 조심하세요"

우리는 그렇게 울산으로 향하기 시작했다. 우선 우리는 지하상가를 나오고 큰 도로로 나왔다. 그리고 큰 도로를 빠르게 달려 고속도로가 있는 곳으로 향했다.

고속도로는 땅에 붙어서 가는 차들이 다니는 지상 고속도로와 하늘로 이동하는 차들이 있는 공중 고속도로가 있었다.

공중 고속도로는 지상 고속도로의 도로와 같은 위치로 공중에 홀로그램 시스템으로 도로를 표현했다. 홀로그램으로 나뉜 것이기 때문에 지상에서 공중으로 올라가는 것도 가능은 한 구조다. 나는 빠르게 달리다 뛰어올라 지상 고속도로로 진입하고 있는 차의 위로 올라탔다.

그때 아이비가 말을 걸어왔다.

"아저씨"

"지금 말할 틈 없다"

나는 차를 박차고 뛰어올라 공중 고속도로를 달리고 있는 비행차랑 하나의 바닥을 잡아 그 차의 아래에 매달렸다.

아이비는 내 말을 듣고 한동안 조용해졌다. 나는 잠시 머릿속을 정리하기 위해 주변을 둘러봤다. 아래에는 고속도로를 달리던 차들이 예쁜 빛의 길을 만들고 있었다. 나는 도로 말고도 도로 주변의 풍경을 바라봤다.

? 저게 뭐지?

도로의 옆에 있던 산에서 무언가 반짝했다. 그때 아이비가 다급하게 외쳤다.

"저… 아저씨 저 산에서 뭐가 날아오는데요!!"

나는 차를 잡고 있던 손을 놓아 아래로 떨어지면서 아이비의 호버 보드를 잡아 아래로 끌어내렸다. 그리고 지상 고속도로를 달리는 차 위로 착지했다.

그리고 얼마 안 지나 우리에게 날아오던 것이 내가 매달려있던 차에 명중했고 그대로 폭발했다. 로켓 런처 아니면 유탄 발사기 중 하나인 듯했다. 아이비는 내가 올라탄 차의 옆에서 속도를 맞춰 따라오고 있었다.

"이게 무슨 일이래요?"

"기습이야 누군가 우리를 노리고 있다"

"아마 너를 노리는 거겠지"

"나나나 날 잡으려고 저 정도까지 폭탄을 쏴댄다고요?"

"그러니까 평소에 무슨 일하면서 살았던 거냐"

아이비가 공포에 빠진 모습이었다.

"패닉에 빠지지 마라 너는 내가 지켜준다고 말하지 않았냐"

"그… 그렇긴 한데"

"그럼 나를 믿고 가만히 있어라"

"네… 알았어요"

나는 주위를 돌아봤다. 공중 고속도로의 차들 위에 여러 명이 올라타 있었다. 은폐 기능을 사용하고 있었던 건가? 만약 은폐 기능을 사용한 것이 맞는다면 저 녀석들은 아마 좀 큰 곳에서 보낸 자들일 가능성이 커진다. 놈들은 공중 고속도로의 여러 차량 위에 한 명씩 올라타 있었다. 아마 방금 터진 폭탄이 공격의 시작을 알린 거겠지

"아이비 넌 여기 있어라"

"네? 뭘 어떡하려고요?"

"저 위에 보이나?"

아이비가 공중 고속도로를 바라봤다. 그리고 놀란 표정으로 경악했다.

"저게 다 무슨…"

"내가 처리하고 올 테니 여기서 경로를 따라 쭉 가라"

"나는 그 뒤에 따라가도록 하지"

"저기 아저씨"

"아이비 지금은 실제상황이야 까딱하면 죽는 거다. 집중해라"

"아… 네 넵!!"

아이비가 고속도로를 질주하기 시작했다. 그러자 공중 고속도로를 달리는 차들의 위에 있던 놈들이 일제히 움직이기 시작했다. 나는 우선 차를 박차고 날아올라 공중 고속도로를 달리고 있는 차보다 더 높이 날아올랐다.

***

공중 고속도로를 달리고 있는 차보다 높이 날아오른 나는 바로 차량 위에 올라타 있던 한 놈에게 빠르게 다가갔다. 그리고 얼굴을 잡고 지상 고속도로로 떨어지며 떨어지는 힘을 이용하여 땅에 그놈의 얼굴을 박았다. 그리고 다시 땅을 박차고 뛰어올라 공중 고속도로를 달리고 있는 차의 위로 올라탔다.

현재 공중 고속도로를 달리고 있는 차들의 위에 올라간 적의 수는 총 10명 그때 녀석들이 총들을 꺼내기 시작했다. 나는 차의 지붕을 딛고 높이 뛰어올랐다. 그러자 높이 날아오른 나에게 녀석들이 총을 난사하기 시작했다. 이 소리의 총소리들 때문에 고속도로를 달리고 있던 차들이 혼란에 빠졌고 한순간에 난장판이 되었다.

나는 한 놈에게 빠르게 다가가 그 녀석의 목을 잡았다. 그리고 왼손으로 녀석의 얼굴을 쳤다. 그러자 그 녀석이 기절했고 나는 그 녀석으로 다른 놈들이 쏘는 총알들을 막았다. 나는 오른손으로 녀석의 시체를 잡고 왼손으로 허리에 있는 권총을 꺼내 들었다.

도로 상황이 난장판이 되어 차들이 이리저리 움직여 놈들의 위치가 계속해서 바뀌었다. 우선 오른손으로 잡고 있던 시체를 다른 적에게 던졌다. 그 녀석은 그 시체를 맞고 올라타 있던 차에서 떨어졌고 난장판이 된 지상 고속도로로 떨어졌다.

남은 적은 이제 8명 나는 등에서 검을 뽑고 공중 고속도로를 달리는 차들의 지붕을 밟고 밟으며 적들이 있는 곳으로 다가갔다. 총알들을 최대한 피하며 다가갔고 다른 한 명의 몸을 베었다. 그리고 발로 차 아래로 떨어뜨렸다.

그렇게 남은 건 7명 나는 날아오는 총알들을 검으로 베어내고 튕겨내면서 놈들의 위치를 확인했다. 그리고 오른손으로는 총알을 튕겨내고 왼손에 들고 있던 권총으로 한놈 한놈을 저격했다. 총알을 맞은 녀석들은 아래로 추락했다,

그렇게 남은 적 3명 그때 저 멀리에 있는 차량의 지붕에서 한놈이 로켓 런처로 나를 조준하고 있었다. 그리고 그 녀석은 나에게 로켓을 발사했다. 나는 날아오는 로켓을 잡은 후 다른 놈들에게 던졌다, 그러자 로켓이 폭발하며 놈들이 올라타 있던 차량이 터졌고 그 폭발에 휘말린 주변의 다른 차량 여러 대 들도 함께 폭발했다. 로켓을 발사한 녀석은 당황한 눈치였다,

그때 나는 공중 고속도로의 차 아래로 내려갔고 차의 아래에서 로켓을 쏜 녀석이 올라타 있는 차의 아래로 이동했다, 그리고 그 차의 위로 올라가 녀석의 뒤로 이동했다. 그 후 검으로 등을 베어버린 후 발로 차 지상 고속도로로 떨어뜨렸다.

그렇게 습격해온 녀석들은 일단 정리되었다. 하지만 고속도로의 교통이 혼란해졌고 나는 우선 그 자리를 피하기로 했다. 나는 아이비를 찾아 공중 고속도로를 달리는 차의 위에서 아래로 떨어진 후 지상 고속도로를 달리고 있는 차의 위로 착지했다.

그리고 차들의 지붕을 밟으며 앞으로 나아갔다. 앞으로 이동을 하면서 느낀 건데… 점점 차들의 움직임이 차차히 느려졌다. 혼란스러운 상황에 미친 듯이 움직여도 모자랄 판에 이렇게 느리게 움직이다니… 앞에 무슨 일이 생긴 건가?

　설마 아이비에게 무슨 일이 생긴 건가… 그럼 매우 곤란해진다. 나는 앞으로 더 빠르게 이동했다. 좀 더 앞으로 이동하자 아예 차들이 그대로 멈춰있었다.

　"이게 어떻게 된…"

　나는 그곳에서 멈춘 차 뒤에 숨어있는 아이비를 볼 수 있었다.

　"아… 이비?"

　아이비도 나를 발견했다.

　아이비가 한 손으로는 쉿 제스처를 취하고 있었고 다른 손으로 나에게 이리 오라는 손동작을 하고 있었다.

　나는 아이비에게 다가갔다.

　"이게 어떻게 된 일이지?"

　"아저씨 방금 이 고속도로에서 일어난 난장판 때문에 울산에 있는 갱단에서 교통을 통제하고 검사를 진행하고 있는 것 같아요"

　"아 그런가?"

　난 앞을 바라봤다 울산으로 들어갈 수 있는 공중, 지상 고속도로가 홀로그램 바리케이드로 막혀있고 몇몇 사람들이 총을 들고 감시를 진행하고 있었다. 그곳의 병력은 30명 꽤 되는 숫자였다.

　우선 저렇게 교통을 통제하고 있는 것을 보면 역시 도시는 저 갱단이 점령한 것으로 보였다. 만약 산으로 간다고 하면… 걸릴 게 뻔하다. 산에서는 열 감지나 뭐 들킬 수 있는 경우가 매우 많고 들킬 가능성이 매우 크다. 나는 고민했다.

　"아이비 무슨 방법 없나?"

　"계획이 있기는 한데요…"

　"음? 뭐지?"

"공중 고속도로를 이용하는 거예요"

"공중 고속도로? 저 홀로그램 바리케이드로 통제된 것이 안 보이나?"

"그게 오히려 편한 거예요"

"2개의 방법이 있어요"

"우선 그 프로그램에 작전회의라는 아이콘 좀 열어주실래요?"

나는 아이비의 부탁대로 아이콘을 열었다.

[작전회의 프로그램]

[띠링! 아이비 님이 작전회의에 초대했습니다]

[회의 방식 홀로그램 시뮬레이션 회의]

[수락하시면 회의실로 입장합니다]

나는 수락 버튼을 눌렀다. 그러자 눈앞에 가상의 회의실이 펼쳐졌다.

"잘 보여요?"

"그래 잘 보인다."

"그럼 이것도 보여요?"

아이비가 홀로그램으로 하트모양을 만들어냈다,

"그래 잘 보여"

"헤 좋아요. 그럼 제가 생각한 작전을 알려드릴게요?"

아이비가 빠르게 현재의 고속도로를 홀로그램으로 나타냈다.

그리고 작전을 말하기 시작했다.

"첫 번째! 저 홀로그램 바리케이드를 해제시킨다."

"제 인터넷 정보 수집기로 저 공중 고속도로를 통제하고 있는 홀로그램 바리케이드를 나타내는 홀로그램 프로젝터를 해제시켜서 없애는 거예요! 그리고 공중 차량 하나를 훔쳐서 진입하는 거죠"

"만약 첫 번째가 마음에 들지 않으신다면 두 번째! 이것도 홀로그램 바리케이드를 해제시키는 거기는 해요"

"하지만 이건 공중 고속도로로 가는 것이 아닌 그냥 해제만 해서 공중 고속도로로 잠시 시선을 돌리는 거예요!"

"그때 지상 고속도로에 대한 경비가 조금 느슨해진 상황에 빠르게 지상 고속도로의 바리케이드를 빠르게 없앤 후 샤샥! 조용~하게 진입하는 거죠"

"어떤 거 같아요?"

아이비가 홀로그램을 만지작거리며 작전을 말했다,

"그럼… 하나 문제가 있지 않나?"

"뭐가요?"

"첫째는 홀로그램 해제로 감시가 집중돼있을 때 지나가는 거라 녀석들이 총을 발사할 테고"

"둘째는 아무리 감시가 느슨해졌다고 해도 생각보다 저쪽에 있는 병력의 수가 상당하다"

"그래서 감시 인원이 아무리 느슨해져도 상당한 병력이 우리를 공격할 수 있다"

아이비가 한동안 고민했다.

"아저씨 생각보다 머리가 돌아가시는 거 같네요?"

"너 그게 무슨 말이냐"

"하긴 군인, 그것도 소장이셨으니 이런 비슷한 상황에서 여러 가지 지휘해 보셨겠구나"

아이비가 잠시 고민을 한 후 다시 말했다.

"그런데! 제가 그놈들이 총을 쏘는 것도 당연히 생각했죠!"

"그럼 그걸 말해봐라"

아이비가 약 3초간 아무 말도 없었다.

"아이비"

"음… 그냥 뚫고 가는 거예요"

"뭐?"

"그냥 그 총알 세례를 뚫고 가자고요"

아이비가 담담하게 말했다.

"죽고 싶은 거냐?"

"아니 그거 말고 딱히 그렇다 할 방법이…"

"하… 그것뿐이라고?"

"아니면 이건 방금 생각한 건데…"

"뭐냐"

"세 번째 작전이에요"

"요즘에는 공중이건 지상이건 모든 차량에 자율주행 기능이 기본적으로 달려있는 건 아시죠?"

"그건… 안다."

"네 인터넷 정보 수집기를 이용해서 그 자율주행 인공지능에 침투해서 자동차들을 제가 조작하는 거예요"

"뭐?"

"수많은 차를 조작해서 한꺼번에 밀고 들어가면 녀석들도 당황하지 않을까요?"

"그리고 녀석들의 총도 다른 차들에게 막혀서 우리가 조금이라도 총을 맞을 가능성이 작아지겠죠"

"그게… 세 개의 작전 중 가장 나아 보이는군"

"진짜요? 전 이게 가장 별로인 거 같은데"

"그냥 이상한 작전 사용했다가 총 맞고 죽는 거보다 한번 제대로 난장판을 만드는 게 가장 나은 선택지 같아서 말이다"

"그리고 다른 차들이 막아줘 총 맞을 가능성도 확실히 낮아지겠고"

"그런가요?"

"그럼 어떻게 진짜 어떻게 하실래요. 이 3개의 작전 중 하나로 해보실래요?"

"그래 3번째 작전으로 간다."

"진짜요?"

아이비가 놀란 듯 한 번 더 물어봤다.

"그래 결정했으니 빨리 그 해킹도구건 인터넷 정보 수집기건 빨리 자율주행 시스템 좀 조종해봐라"

"네 좀 많은 차량이 필요해서 조금 시간이 걸릴 거예요"

"아 맞다 두부"

아이비의 말에 옆에 있던 비둘기 로봇이 반응했다.

"저기 하늘로 올라가서 적들 위치 좀 파악해서 보내줘"

"위치 파악은 왜 하는 거지? 그냥 밀고 들어가는 거 아니었나?"

아이비가 해킹도구를 만지작거리면서 말했다.

"솔직히 그냥 차들로 막 밀고 들어갔다간 우리도 차들에 휩쓸릴 수도 있잖아요?"

"그래서 일차적으로 적들을 차량으로 먼저 밀고"

"다음으로 차들을 이용해서 남은 적들의 시야를 최대한 가리고 다른 차들을 이용해서 우리가 갈 길을 만들 거예요. 그렇게 해서 길을 만든 차들로 놈들이 쏘는 총을 막는 거죠"

"그리고 우리는 차 하나를 뺏어 타서 차로 만든 안전한 길로 울산으로 진입하는 거죠"

"한 번에 가는 게 아니라 타이밍을 두고 들어가겠다?"

"뭐… 그렇죠. 어때요 이 정도면 진짜 가능할 거 같은데"

"그래 이게 그나마 가장 좋을 것 같군"

"진심이죠?"

"네 그럼 저는 다른 차들을 제 장치에 연결하고 있을 테니까 우리가 탈 차 하나만 찾아와 주실래요?"

"그러도록 하지"

***

나는 대충 주변에 사람들이 타고 있지 않은 차량을 하나 구해서 아이비에게 갔다. 이상하게도 모든 차에 사람들이 없었다. 아마 통제로 인해 조사를 받기 위해서 끌려간 듯했다. 그 타이밍에 아이비와 나는 운 좋게 안 걸린 것 같았다.

나는 어쨌든 차 하나를 타고 아이비에게 향했다. 아이비는 진지한 표정으로 계속해서 장치를 건드리고 있었다. 나는 차에서 내려 아이비에게 다가갔다.

"얼마나 남았지?"

아이비는 장치를 매우 집중해서 바라보고 있었다. 그러더니 얼마 뒤 작은 목소리로 답했다.

"이제 3분만 기다려 봐요"

"3분…"

나는 아이비를 기다리면서 놈들이 막고 있는 입구를 바라봤다. 입구에는 아직도 녀석들이 빠지지 않고 철저히 감시하고 있었다.

그렇게 아이비를 한참 기다리고 있었다. 그리고 아이비가 3분이 걸린다고 말하고 나서 약 10분이 지났다.

"휴…"

아이비가 한숨을 내쉬며 자리에서 일어나 기지개를 폈다. 나는 아이비에게 다가가 물었다.

"이제 끝난 건가?"

"3분 걸린다면서"

"아니… 이게 조금 진행하다가 조금 이제 차들끼리의 연결이 좀 꼬이고 꼬여서 그걸 이제 풀고서 다시 연결을 진행하는 과정에 다시…"

"아 그래그래… 알았다 뭐 그럼 일단 작전은 문제없이 할 수 있는 거겠지?"

"후훗… 네 이제 작전을 진행하는 것에는 문제가 없을 거예요"

아이비가 다시 선글라스를 착용하면서 말했다.

"좋아요 역시 선글라스로 봤을때도 모든 차들이 제대로 연결되어 있어요 그럼 이제 진짜로 작전을 시작하죠"

말을 마친 아이비는 선글라스를 집어넣고서 아이비는 내가 가져온 차를 향해 달려가 차의 뒷좌석에 탑승했다.

"아저씨 빨리 타요 빨리!!"

나는 아이비의 말에 운전석으로 걸어가 차에 탔다.

"다시 작전을 설명해 드릴게요"

아이비가 뒤에서 내게 해킹도구를 보여주며 설명을 시작했다.

"제가 3, 2, 1 숫자를 셀 거에요"

"그러면 바~로 저 홀로그램 바리케이드를 없앨 거예요"

"그리고 여기 연결된 차들 보이죠?"

"그래"

"네 일차적으로 이 연결된 차들을 보내 적들을 한번 밀어내고"

"이차적으로 주변에 다른 차들로 우리가 갈 길을 만들게요"

"그럼 그 길을 이제 아저씨가 운전해서 지나가는 거죠!"

"그럼! 우리는 안전하게 울산으로 진입할 수 있다! 이거죠!"

말을 마친 아이비는 선글라스를 다시 착용했다.

"아니 아이비 어두운 밤에… 선글라스 끼면 뭐가 보이긴 하나?"

내 말을 들은 아이비가 발끈하며 말했다.

"아니 아저씨 이 선글라스는 그냥 선글라스가 아니라니까요? 제가 열심히 만든 기술들을 담은 선글라스 라구요!"

"…"

나는 아이비를 말없이 바라봤다.

"왜요 그런 표정으로 보지 마세요"

"…그래 그럼 시작하도록 하지"

"넵! 그럼 이제 숫자 셉니다!!"

아이비가 손가락으로 3을 나타냈다.

"자! 3!"

"2!"

"1!"

"자! 차들아 가라!!!"

아이비의 신호에 맞춰 빠르게 도로를 통제하고 있던 홀로그램 바리케이드들이 사라졌다. 그러자 그곳에 있던 적들은 전부 당황한 모습이었고 몇몇은 다시 바리케이드를 활성화하려고 했다.

그때 아이비가 들고 있던 장치를 조금 건드리자 우리가 타고 있던 차의 뒤에 있던 차들과 공중 고속도로의 차들이 일제히 적들에게 돌진하기 시작했다. 한순간에 이곳은 난장판이 되었다.

적들은 엄청나게 몰려오는 차들에 그대로 차들에 쓸려가 죽은 자들도 있었다. 그렇게 차들이 일차적으로 적들을 휩쓸어 버렸고 이차적으로 또 우리의 뒤에 있던 차들이 앞으로 나아가기 시작했다. 그리고 우리가 갈 길을 만들었다.

"휴… 이제 지나가면 될 거예요!"

아이비가 웃으면서 말했다.

"생각보다 잘 해냈군"

"그쵸? 저 능력 꽤 된다니까요~"

나는 자신민민해진 이이비의 말을 그냥 무시하고 차를 이끌고 그 길을 달렸다. 웬만한 적들은 전부 첫 번째 차로 휩쓸고 간 것에 당한 것으로 보였다. 주변에 적들의 시체들이 있었다. 덕분에 안전하게 우리는 울산으로 진입할 수 있었다.

울산에 들어가자 무언가 유령 도시 같은 느낌이 났다. 길거리에는 일반적인 시민이, 사람이 아무도 없었으며 건물들의 불들이 거의 다 꺼져있고 간판의 네온사인들만이 빛을 내고 있었다. 아직 울산의 중심까지 진입하지 못해서 그런 건가?

나는 잠시 차의 창문을 열었다. 그러자 이상한 역겨운 냄새들이 올라왔다. 나는 바로 창문을 닫았다. 나는 목표를 묻기 위해 뒷좌석의 아이비를 바라보자 아이비는 한 손으로는 코를 막고 다른 한 손으로는 자신의 장치를 건드리고 있었다.

"우선 우리는 뭘 해야 하는 거지?"

"우선 이곳의 갱단을 찾아가서 딸에 대한 정보를 물어본다 + 제가 찾아봤던 딸의 정보가 떴었던 장소로 가서 조사해 본다."

아이비가 코를 막고 있던 손을 떼고 숨을 크게 쉬었다.

"휴… 울산 말고도 다른 지역에서도 이런 식으로 조사를 하면 될 것 같아요"

"그런가… 알겠다."

나는 차를 이끌고 갱단이 있을 만한 한곳으로 향했다. 이 지도 프로그램에서는 전 울산 시청이 있는 장소가 거대한 마천루로 바뀌어 있었다. 시청을 개조한 건가? 일단 건물이 너무나 크게 바뀐 것을 보았을 때 저곳이 놈들의 본거지일 가능성이 크다.

나는 차를 이끌고 계속해 도로를 달리고 있었다. 그때… 무언가가 내 머리를 쑤시는듯한 느낌이 들기 시작했다. 그리고… 서서히… 몸의… 힘이… 빠져…

…

…

…빠…!

? 갑자기… 여긴 어디지?

차 내부인 건 같다 하지만 배경이…

나는 급하게 주위를 둘러보았다. 지금… 나는 차를 끌고서 어느 따뜻한 봄날의 벚꽃들이 떨어지는 어딘가의 공원을 달리고 있다.

"여긴…… 어디지?"

그때 차의 뒷좌석에서 무언가 소리가 들려왔다.

"아빠"

"… 뭐?"

"아빠!!!"

…아빠…?

"아직 멀었어?"

뒤를 돌아보자 어떤 여자아이가 타고 있다. 그 애는… 어린 내 딸이었다… 내 사진의 모습 그대로였다. 하지만… 이상하게도 이름이 기억나지 않는다. 아니 애초에 이게 지금 무슨 상황인 거지? 내 오래된 기억인 건가? 아니면 지금 나의 환상 속인 건가?

"응 아직 좀 멀었어.~"

내가 말했다.

아니 말해졌다.

확실해 이건 내 오래전 기억인 것이 분명하다. 내게… 이런 기억이 있었나…? 머리가 더 아파져 오기 시작했다… 만약… 이게 진짜 오래된 기억이라면 이 오래된 기억에서 딸에 대한 정보를 알아낸다면…

"이히히힛 너무 좋다 아빠랑 간만에 소풍이라니!"

"우리 딸이 좋으면 아빠도 좋지"

"아빠랑…"

"…"

"잠깐만!!"

그때 그 애의 모습이 점점 흐릿해져 가고 그 기억이 점점 흐릿해져 간다. 계속해서 그 기억 속에 머물고 싶었는데… 무언가가 나를 밖에서 끌어 당기는듯한 느낌이었다…

…

…

"아…"

"저… 씨"

뭐?

"아저씨 좀 일어나봐요!!! 제발!!!"

난 그 외침에 다시 눈을 떴다. 그리고 다시 주위를 둘러보자 방금까지 달리던 봄의 따스한 햇볕이 비치던 도로는 사라지고 어두운 네온사인이 비추는 도로가 나타났다. 뒤에서 아이비가 소리치고 있었다.

"앞을 보라고요 아저씨!!!!"

"뭐?"

그리고 차는… 어느 건물에 돌진하고 있었다.

"이게 뭔!!"

"으아…!!!! 부딪힌다!!!!"

쿠와앙… 콰아앙 쨍그랑 슈우웅… 쾅…

…

"으… 아…"

결국 어떤 건물의 벽을 들이받으며 시원하게 부숴버렸다. 나는 잠시 핸들에 쓰러져있었다. 그리고 다시 정신을 차리자 그제야 에어백이 터져 나왔다.

"하… 이게 무슨 일인지…"

나는 차 주먹을 왼팔로 강하게 때려 부숴 열었다. 그리고 차의 밖으로 나왔다. 건물에 매우 빠른 속도로 그대로 강하게 박아버린 차량은… 우선 앞면은 그 전의 모습은 알아볼 수 없을 만큼 처참하게 부서져 있었고 위에서 떨어진 건물의 잔해로 인해 지붕이 뚫려버렸다.

"하…"

"아 맞다 아이비"

뒤늦게 뒷좌석에 타고 있던 아이비가 떠올랐다. 나는 뒷좌석의 문을 열러 다가갔다. 하지만 사고의 충격으로 문이 뒤틀린 것인지 쉽게 열리지 않았다. 나는 결국 왼손을 이용해 문을 그대로 뜯어냈다. 뒷좌석의 문을 열긴 열었으나… 가장 중요한 아이비가 보이지 않았다.

"아이비?"

나는 다시 한번 차 안을 수색했으나 아이비를 찾을 수 없었다. 나는 사고지점의 주변을 수색하기로 했다. 하지만 그런 결정을 내리고 얼마 안 지나 아이비의 위치를 확인할 수 있었다. 아이비는 사고 난 차의 훨씬 앞에 날아가 있었다. 그리고 그대로 쓰러져 있었다.

"아이비!!!"

나는 쓰러진 아이비에게 달려갔다.

***

"아이비… 눈을 떠라!!!"

나는 쓰러져있는 아이비에게 달려갔다. 나는 사고 난 차량을 확인했다. 아마 앞의 유리가 깨진 곳으로 뒷좌석에 타고 있던 아이비가 튕겨 나간 것으로 보인다.

"아이비!!"

나는 아이비를 불렀다. 그러자 쓰러져있던 아이비가 힘겹게 눈을 뜨기 시작했다. 그리고 무언가 말을 하기 시작했다.

"벌써… 죽은 건가요 여긴?"

"아이비 정신 차려라"

나는 쓰러져 있는 아이비의 앞으로 다가갔다.

"어? 압…우왓!!"

"아… 아니다… 맞다… 그랬지… 그래…"

아이비가 무언가 이해할 수 없는 말들을 말했다.

"뭐가 아닌 거냐"

"아…니에요… 그냥 멀미가 조금…"

아이비는 아예 정신을 차리지를 못하고 있었다.

"혹시라도 제가 죽으면… 컴퓨터와 제 인터넷 정보 수집기의 모든 정보를 지워주세요… 그것만 부탁드립니다…"

"특히 파일들을 다 제대로 삭제해주세요…"

"제 컴퓨터에…"

"아니 아이비 넌 여기서 안 죽는다 일어서"

"지금 눈앞에… 별이 떠 있어요…!!!"

아이비가 하늘을 바라보며 소리쳤다.

"하…"

"그냥… 잠시 누워있어라"

나는 사고가 난 건물의 밖으로 나갔다. 그렇게 건물 밖을 돌아다니고 있을 때 내 발밑에 무언가가 밟혔다. 자세히 살펴보니… 무슨 축구팀의 로고가 그려진 아크릴 배지였다. 더 자세히 보니 잉글랜드 런던 쪽의 팀이었다. 이상함을 감지한 나는 바로 주위를 둘러봤다.

내 발밑에는 수많은 리그의 패치들과 축구팀들의 마킹지들이 널브러져 있었고 그것들뿐만 아니라 유니폼부터 머플러, 사인볼, 재킷에 심지어 부채와 모자까지… 축구 관련 굿즈들이 엄청나게 많았다.

그렇게 주위를 둘러보다 한 축구팀의 유니폼이 눈에 들어왔다. 나는 천천히 걸어가 그 유니폼을 주워 들었다. 옛날에 딸이 어릴 적에 딸과 함께 축구를 보러 갔던 것이 떠올랐다. 그날은 딸이 좋아하던 선수가 골을 넣고 이겼던 날이었다.

그렇게 축구팀 유니폼을 보고 추억에 빠져있을 무렵 한쪽 벽이 무너진 건물 안에서 아이비의 목소리가 들려왔다. 굉장히 신나고 흥분한 듯한 목소리였다. 나는 바로 아이비를 확인하기 위해 건물 안으로 뛰어 들어갔다.

안에 들어가자 눈을 반짝이며 건물 곳곳을 돌아다니고 있는 아이비의 모습이 보였다.

"와!! 천국으로 온 건가? 한정판 축구팀 굿즈들이 이렇게나 많다고???"

"역시 착하게 산 보람이 있었어! 보람이!!"

아이비는 상당히 들뜬 모습이었다.

"어?! 저건 유럽 축구 역사상 가장 많은 챔피언스 리그를 우승한 팀의 유니폼이잖아?!?! 유럽 축구를 직관하는 것이 꿈이었는데… 하… 언제 보러 가지… 아?! 저건!! 전설적인 선수 크리스티아누

호X두의 아들의 아들의 아들의 유니폼?! 증조할아버지부터 할아버지 아버지 그리고 현재까지 최고의 축구선수들인 가문!!! 와 미쳤다 미쳤어!!"

"아이비"

"너 축구를 좋아하는 거였나?"

내가 아이비에게 말을 걸자 아이비가 놀란 목소리로 말했다.

"어? 아저씨?"

"아저씨도 죽은 거예요?"

"아니 아이비 정신 좀 차려라. 지금 우린 죽은 게 아니다 지금 울산의 한 축구 전문 굿즈샵을 들이받은 거뿐이야"

"아… 천국이 아니었구나… 하긴… 나 같은게 천국에 갈 리가 없지…"

"뭐 그래도 이거 봐봐요!! 와~~~ 저거는!!"

아이비가 또 어디론가 달려가기 시작했다.

"잠깐 아이비 지금 여기서 시간을 버릴 때가 아니다!!"

"아… 알았어요. 네 저 그러면 여기서 뭐 하나만 챙겨가면 안 돼요?"

나는 바로 거절하려 했으나 아이비가 나에게 간절한 듯한 눈빛을 보내왔다.

"뭘… 그런 눈빛으로 바라보는 거냐…"

"네~~~???"

"하… 그래 빨리 정하고 나와라"

"넵!!"

나는 신나서 주변을 둘러보는 아이비를 뒤로하고 건물을 빠져나왔다. 아이비는 상당한 축구광이었던 듯하다. 진짜 내가 들이받았어도 하필이면 왜 저런 건물을 들이받았을까…

나는 한숨을 쉬며 주위를 둘러봤다. 프로그램에 나타나고 있는 지금의 시간은 새벽 1시

"벌써 이렇게 시간이 지났나…"

나는 벽이 무너져버린 건물의 잔해에 잠시 걸터앉아 휴식을 취했다.

"휴우…"

몸에 지금까지 쌓여왔던 피로가 한 번에 몰려오기 시작했다. 아이비가 저것을 고르는 데까지는 좀 걸릴 것 같고 주위에도 딱히 위협이 느껴지지 않으니 잠시 눈을 붙였다.

…

시간이 얼마나 지났을까 나는 잔해의 위에서 눈을 떴다. 울산에는 해가 뜨고 있었다. 그나마 울산이 저기 있은 거대한 마천루를 제외하고 건물이 낮은 편이라 해가 보이는 듯하다.

서울 같은 지역은 해도 안 보일 정도로 건물들이 너무 높으니… 그나저나 저 마천루는 너무 높아 보였다. 나는 이제 몸을 일으키려 했으나 무언가가 내 어깨를 누르는 듯했다. 뭐지?

나는 내 어깨를 확인해 보았다.

…

"아이비…?"

아이비가 내 어깨에 기대서 잠을 자고 있었다.

"이봐 아이비"

나는 잠들어있는 아이비의 이름을 부르며 조금 흔들었다. 그러자 아이비가 조금씩 반응했다.

"우… 음…"

이후 내가 아이비를 좀 더 흔들자 아이비가 눈을 떴다.

"아… 아저씨 먼저 일어났군요"

이후 아이비가 내 옆에서 일어났다. 그리고 기지개를 켰다.

"으으으읏~~~차하…"

"내가… 오랫동안 잠들었던 건가?"

"네? 아 네 맞아요. 아저씨 아, 맞네"

아이비가 비몽사몽 한 상태로 무언가를 말하려 하고 있었다.

"음?"

"아니 제가 어제 자는 아저씨 깨우려고 얼마나 난리를 피웠었는데…"

"제가 어제 아저씨가 하나만 고르라 해서 고르고 나왔는데… 아저씨가 자고 있길래 계속 깨우려고 난리에 난리는 다쳤는데…"

"그런데도 안 일어나셔서 그냥 저도 피곤하니 눈 좀 붙였죠"

"아… 그랬나"

"아저씨 많이 피곤하셨나보다 어제 졸음운전도 그렇고… 그러니까 제가 어제 쉬고 다음 날에 가자고 했죠??"

"졸음운전? 내가?"

"아저씨 기억 안 나요? 사고의 충격 때문인가?"

"아니 사고 난 것까진 기억이 나는데 그게 졸음운전을 이였다고?"

"네!! 어제 운전하시디기 갑자기 불러도 답이 없어서 확인해봤더니 고개를 숙이고 눈도 감고 있으시더라고요?"

"그래서 깨우려고 계속 계속 불러도 아무 말도 없으시고 그러다가 그대로 건물로 돌진! 그리고 쾅… 하고 사고 났던 거잖아요"

"어제… 무언가가 있긴 했는데… 꿈이었나 역시"

"예? 그때 꿈도 꾸셨었어요?"

아이비가 놀랐다.

"피곤하셨으면 말씀해주시지! 그럼 대신 운전해드렸을 텐데"

"…그건 됐다"

"칫… 그래도 이렇게 쉬는 것도 좋네요"

"휴우… 지금 시간이… 몇 시지?"

"10시요"

"10시?"

"네"

"… 시간이 너무 오래 지났다."

"바로 저 거대한 마천루 쪽으로 향하지"

"그런데 차가 저렇게 됐는데 어떡할까요?"

아이비가 손으로 만신창이가 된 차를 가리켰다. 어제… 그 처참한 모습 그대로였다.

"그냥… 걸어갈 수밖에 없지"

"아 역시 그렇겠죠…"

"그래 바로 출발하지, 시간이 없다."

아이비가 옆에 쓰러져있던 호버 보드를 들었다.

"근데 아저씨"

"왜 그러나"

"그… 아니다 그냥 빨리 출발해요"

아이비가 호버 보드의 전원을 켜고 공중에 띄운다. 그리고 보드에 올라탄 후 발 고정대에 자신의 발을 고정했다.

"? 무슨 말을 하려 했던 거지?"

"아 아무것도 아니에요. 그냥 빨리 출발해요"

"… 그래"

나는 그렇게 놈들의 본거지로 추정되는 전 울산 시청의 건물이 있던 곳 현재는 엄청나게 거대한 마천루가 있는 곳으로 달리기 시작했다. 하지만… 신기하게도 점점 더 도시에 안쪽으로 들어가도 그 누구도 볼 수 없었다.

"아이비 여기 무슨 일이 있는 거지?"

"네?"

"이상하지 않나?"

"뭐가요?"

아이비가 호버 보드 위에서 자신의 해킹도구를 만지고 있었다.

"아니, 사람이 단 한 명도 보이지가 않잖냐"

"그러고 보니 그건 이상하기는 하네요"

"다… 어딜 간 거지…"

"뭐… 여기 한번 조사해 볼까요?"

"됐다 시간도 오래 걸릴 텐데"

"아니 전 돌아다니면서도 조사할 수 있어요. 그냥 제가 알아서 한번 조사해 볼게요"

"그래… 네 맘대로 해라"

"네~ 제 맘대로 할 거예요~~"

아이비가 호버 보드의 위에서 장치를 꺼내 무언가 많이 건드리기 시작했다. 그러고 나서 얼마 안 가 갑자기 내가 업데이트했던 프로그램이 갑자기 에러가 뜨기 시작했다.

"아이비 이게 무슨 일이냐"

나는 아이비를 바라봤다. 아이비는 겁에 질린 모습으로 자신의 장치를 바라보고 있었다. 그 후에… 아이비의 호버 보드의 출력이 점점 낮아졌고 결국 아이비는 호버 보드에서 내렸다.

"아이비?"

그리고 주변 건물의 벽으로 걸어가더니 그 벽을 짚고 토를 했다.

"아이비?!! 괜찮나?"

"우웨엑… 우웩… 허억… 흑…"

아이비는 내 말에 대답 대신 바닥에 떨어진 자신의 해킹도구를 가리켰다.

***

나는 아이비의 해킹도구를 주워서 확인했다. 해킹도구의 화면에는 어딘가의 보안 카메라의 접속화면이 나타나 있었다.

"완전히 미쳤군"

그 보안 카메라에 보이는 화면은 너무 충격적이었다. 그 화면에는 사람들의 사체가 어딘가의 길거리에 피투성이들로 쓰러져 있었고 갱단 조직원으로 보이는 녀석들이 돌아다니면서 살아있는 사람들을 확인 사살을 하고 있었다.

사람들이 지금까지 한 명도 보이지 않았던 것은 아마 저기로 끌려가 살해당한 거겠지… 이제야 이해가 됐다.

그 화면 속의 갱단원들은 그 짓을 얼마 정도 더 하더니 시체를 한곳에 모은 후 기름을 부은 뒤 불을 붙였다. 아이비가 저런 반응을 보이는 게 당연했다…

그때 갑작스럽게 해킹도구에 에러 문자가 떴다. 내 프로그램과 같은 에러 문자였다. 난 우선 아이비를 진정시켜야겠다고 생각했다. 아이비는 토를 멈췄으나 벽을 짚고 아직 충격에 휩싸여 있었다.

"사람이라는 것이 어떻게 저런 짓을…."

아이비가 작게 말했다.

"아이비 괜찮나?"

"괜찮겠어요? 저런 걸 보고도?"

"완전히 미친 사람들이야 저 사람들이 잘못한 게 뭐가 있다고…"

아이비는 공포에 질린 모습이었다. 사람들이 이렇게 죽어 나가는 것을 본 것은 처음이겠지…

"아이비 충격이 크다는 건 잘 알겠으나… 우린 움직여야 한다."

"하아… 하아… 그렇죠… 그래야죠…"

아이비가 벽에서 손을 떼고 다시 정신을 차렸다.

"하… 제 해킹도구 어디 있어요?"

나는 아이비에게 해킹도구를 넘겼다.

"이게 뭐야"

아이비는 해킹도구를 심각하게 들여다보기 시작했다.

"그래 뭔가 에러 창이 뜨긴 하던데"

"이 녀석들 뭔가 범상치 않은 걸 하려는 거 같아요"

"그게 무슨 소리지?"

아이비가 심각한 표정으로 해킹도구를 만지기 시작했다.

"그러니까 좀 설명해 드리면… 뭐야… 프로그램까지 막히는 건가?"

"그래 내 프로그램에도 에러가 떴다 그러니까 그냥 말로 설명해"

"네 알았어요. 지금 이곳 울산의 모든 통신망이 끊겼어요"

"아마 어딘가의 특정 지점에서 EMP를 방출하고 있는 거 같아요"

"그래서 지금 울산의 중앙 데이터 서버 망에 접근할 방법이 사실상 없어요"

"또 우리가 울산을 빠져나가지 않는 이상 아니면 이 현상을 고치지 않는 이상 프로그램과 제 해킹도구고 뭐고 그 어떤 것도 못 쓸 거예요"

"… 한마디로 프로그램을 그냥 못 쓴다는 거군? 네 해킹도구도 지금은 못 쓰는 기고"

"네 그렇죠"

"아마 우리가 온 것을 눈치챈 것 같아요"

"하… 그렇겠지 바로 EMP를 터뜨릴 정도면 많이 급했나 보군"

"이러면 지도도 안 열리고. 좀 많이 작전이 힘들어지겠는데요…"

"하… 진짜 미치겠군"

"일단… 제가 방법을 생각을… 하… 솔직하게 말할게요"

"제가 지금 뭘 할 수 있는 게 없는 것 같네요"

"그렇겠지…"

아이비가 해킹도구를 집어넣었다.

"근데 그… 이걸 다시 활성화하는 방법이 하나 남기는 했어요"

"뭐지?"

"그… 제가 좀 이상하기는 한데…"

아이비가 뭔가 굉장히 우물쭈물하며 말을 못 하고 있다.

"뭐냐 말해봐"

"두부에게는… 이… EMP 방어체제를 깔아뒀거든요?"

"뭐? 저 비둘기 로봇한테는 그런 걸 깔아놓고 프로그램과 그 해킹 장치에는 설치를 안 했다고???"

"그러니까요!!! 아니 이 정도의 EMP 공격을 받을 거라는 건 진짜 상상도 안 했었고 또 했다 해도 좀 많이 비싸요. 그 EMP 방어체제 코드가… 두부한테 설치한 건 친구가 코드를 선물로 줘서 깔았던 거구요"

"하… 그럼 그 비둘기 로봇에게 줄 걸 적어도 해킹 장치에 넣어 뒀으면 되는 거 아닌가?"

"그게… 하… 그래요. 이건 제가 멍청했어요"

"그렇다면… 그 체제를 네 해킹 장치로는 넘길 수 없나?"

"됐으면 제가 이렇게 절규하지는 않았죠"

"하…"

"그래도 이 두부가 다행히도 정말 정말 다행히도 이 EMP를 발사한 곳을 역추적해서 찾아냈어요"

"… 비둘기 로봇이 도움은 되는군"

"그렇죠? 생각보다 괜찮죠?"

"아니… 그래 도움은 되니까 뭐라 하지는 않겠다."

"헤헤"

"뭐… 그래서… 이제 이 두부에게 역추적해서 알아낸 장소로 안내를 하라고 한 뒤에 따라가면 EMP를 터뜨린 곳에 도착할 수 있고"

"그곳에서 제가 EMP 장치를 비활성화를 시키면!! 모든 것이 다시 돌아올 거예요!!"

"그럼 놈들의 본거지를 찾기 전에 EMP 비활성화를 더 우선 목표로 두고 움직이도록 하지"

"넵!"

아이비가 다시 자신의 호버 보드로 다가간다. 그리고 다시 호버 보드를 하늘로 던진 후 올라타기 위해 점프했다. 하지만 호버 보드는 하늘에 뜨지 않고 그대로 바닥으로 떨어졌고 아이비는 그냥 떨어진 호버 보드의 위로 뛰어올랐다.

"…"

"호버 보드가 못 나는 건가?"

"그런 거 같네요"

아이비가 바닥에 떨어진 호버 보드를 발로 찼다.

"아! 아팟!!"

그러고서는 자기 발을 잡고서는 아파했다.

"휴… 진짜 어이가 없군"

"어떡하죠…"

"그냥… 안전한 곳에 숨어 있어라. 내가 이 비둘기랑 EMP 장치들을 다 부수고 올 테니"

"그걸 그냥 부수겠다고요?"

"그래 그거 말고 다른 방법이 있나?"

"아니… 제가 비활성화 코드가 담겨있는 USB를 만들어 드릴게요. 그러면 그걸…"

아이비가 몸동작하면서 말했다.

"난 이런 거 잘 못 다뤄"

"아…"

"그냥 숨어서 내가 올 때까지 기다려라"

"안전한 곳이 있기는 할지…"

"일단 알겠어요. 빨리해야 해요 아셨죠?"

"그래 갔다 오마"

"네… 알겠어요"

아이비가 바닥에 있는 호버 보드를 들고 어딘가로 뛰어갔다. 오른쪽으로 고개를 돌리자 내 어깨에 어느샌가 그 비둘기가 올라타 있는 모습을 볼 수 있었다.

"어깨에서 내려가서 빨리 앞장이나 서라"

"구구구구"

"허… 아니 어차피 로봇인데 그냥 말할 수 있게 만들지 왜 쓸데 없이 비둘기 울음소리를 넣어서는…"

"구구구구구구구!!!"

비둘기가 내 어깨 위에서 화를 내듯 소리를 냈다.

"아이참 시끄럽다 빨리 앞장서기나 해라… 아!… 저 망할 비둘기 가"

비둘기가 내 어깨를 박차고 날아올랐다. 그리고 어디론가 날아가 기 시작했다. 나는 비둘기를 따라서 달리기 시작했다.

"근데… EMP 장치의 수는 얼마나 되는 거지? 분명 하나의 장치 에서 이 정도의 힘은 낼 수가 없을 텐데"

나는 앞에 날아가고 있는 비둘기 로봇에게 물었다.

"구구구구구"

하지만… 또 비둘기 소리를 낼 뿐이었다.

"에이 됐다 됐어 그냥 어딘지만 안내해라"

"구구구"

"하…"

그렇게 비둘기를 따라 달려서 첫 번째로 도착한 곳은 공사가 진 행 중인 거대한 건물이었다. 생김새를 보았을 때 아파트로 보였 다.

"여기에 EMP 장치가 있다라…"

나는 건물을 한번 훑어봤다. EMP 장치라고 할 만한 건 보이지 않았다. 그때 옆에서 불청객이 나타났다. 3명인가…

울산 갱단원으로 보이는 세 명이 내 쪽으로 걸어오기 시작했다. 3명 중 한 명이 담배에 불을 붙이며 물어봤다.

"아니… 넌 뭐냐? 분명 울산 시민들은 전부…"

"죽였겠지 다 봤다."

내 말에 그 녀석은 담배를 떨어뜨렸다.

"뭐? 너… 너 뭐야…"

"…"

"장난하냐? 잠깐… 네 그 옷… 군인인 건가?"

"…"

"뭔 말을 좀 해봐라!!"

"진짜 군인이 떴다고? 아니 분명 국군은 이미…"

그때 다른 한 명이 말을 끊으며 나타났다. 이 녀석은 덩치가 좀 더 컸다.

"아 몰라 그냥 아까 발견 못한 놈이겠지 그냥 우리가 빨리 처리해 버리자고"

"군인이고 뭐고 어차피 쪽수에는 못 당해"

놈들이 천천히 다가왔다.

"하나만 물어보도록 하지"

"아앙?"

"시민들은… 왜 다 죽인 거지?"

"뭐? 그걸 우리가 왜 알려줘 어차피 죽을 놈인데"

그놈이 말을 마치자 갱단원 3명이 옆에 건설 자재들에서 쇠 파이프를 들고 달려왔다. 나는 등에서 검을 뽑아 들었다. 하지만… 내 검의 플라즈마가 비활성화된 상태였다. 이것도 EMP의 영향인가?

"진짜 돌겠군"

나는 결국 플라즈마가 꺼진 검으로 싸움을 시작했다. 갱단원 중한 명이 가장 먼저 달려와 내게 파이프를 휘두르기 시작했다. 나는 검으로 받아치고 몸을 베어버렸다. 그 후 2번째로 오는 놈의 파이프는 왼팔로 막아내고 3번째의 파이프는 검으로 막아냈다. 그리고 검을 빠르게 떼어내서 두 명의 몸을 바로 베어버렸다.

공사장에 있는 말단 놈들이라 그런지 전투력은 많이 약했다. 나는 쓰러져있는 덩치에게 다가갔다. 그리고 그 녀석을 한 번 더 칼로 찌르며 물었다.

"왜 울산 시민들을 죽였던 거지?"

"으아아악!! !으윽…큭"

"ㄴ… 너…군인 아니야? 군인인데 모른다고?"

"뭐?"

"광주… 광주에서 무슨 일이 일어나는지 모르나 보군…"

"광주…?"

"그곳에서…"

나는 검을 뽑은 후 말을 하던 덩치의 목을 베었다.

"광주…"

나는 검에 묻은 피를 닦아내고 등의 검집에 집어넣었다.

"비둘기 다시 안내 시작해라"

"구구구구"

"이거 소리 못 끄나?"

비둘기는 내 말을 가볍게 무시한 채 공사 중인 건물을 향해 날아가기 시작했다…

"하…"

나는 그 비둘기를 따라갔다.

***

비둘기는 건물의 지하로 향했다. 나는 지하로 가는 계단을 왼팔로 내리쳐 그냥 부숴버렸다. 부서진 곳으로 바로 내려가자 지하에 거대한 공간이 펼쳐졌다. 그곳의 중앙에는 주황빛을 내는 거대한 장치와 주변에 몇몇 사람들이 있었다. 아마 저 거대한 장치가 EMP 기계이겠지

그곳에 있던 사람들은 무언가 분주하게 움직이다가 나를 발견하더니 겁에 질렸다. 나는 한 걸음 한 걸음 그들에게 다가갔다. 그

러자 몇몇은 주변에 있는 권총이라든지 테이저건이건 다 들고서 나를 조준했다.

"ㄴ… 너… 너 뭐야? 여길 어떻게 알고서는…"

"그건 네놈들이 알 필요 없다 저게 EMP 장치인가?"

"뭐… 뭐라는 거야 야 너 한 발짝만 더 다가오면 진짜 쏴버릴 거야"

"…"

"쏴"

"뭐?"

"그냥 쏴라고 내가 그딴 총을 두려워할 것 같나?"

"미… X친 거야?"

그 녀석들의 손이 심하게 떨려온다.

"총을 든 손이 그렇게 떨리면 그 누구도 그 무엇도 맞출 수 없다"

"그린데도 총을 쏘고 싶다면…"

"어디 한번 쏴봐라. 재밌는 것을 보여줄 테니"

내 말에 거기에 있던 놈들이 들고 있던 무기를 버렸다. 그리고 빠르게 도망쳐 나갔다.

"하… 귀찮군…"

나는 그 지하공간의 중심에 있는 EMP 장치로 다가갔다. EMP 장치는 뭔가 딱 봐도 굉장히 복잡해 보였다.

"이건… 어떻게 끌 수 있는 거지? 부수겠다고는 했지만 뭔가 있을 것 같은데…"

"구구구구"

내 혼잣말에 옆에 있던 비둘기 로봇이 소리를 냈다.

"…"

"하 어떻게든 되겠지"

나는 일단 장치의 제어판에 다가가 봤다. 하지만… 그 제어판은 알아들을 수 없는 언어 문자들로 빽빽하게 차 있었다. 나는 무언가라도 해보기 위해 그 장치를 건드려 봤다.

[삐빅 진행할 수 없는 작업입니다]

"…"

[삐빅 진행할 수 없는 작업입니다]

"아…"

[삐빅 작업의 진행 권한이 없습니다]

"쓰읍…"

"구구구구"

"시끄럽다"

"마지막으로"

[삐빅 작업의 권한이…]

나는 그냥 등에서 검을 꺼내서 장치에 꽂아버렸다.

"구구구구구구!!!!!"

"조용히 해라. 어차피 부술 생각이었어"

그때 그 장치에서 엄청난 스파크가 튀기 시작했다. 점점 더 많이 더 강하게 튀었다…

"아 이거 좀 많이 잘못된 거 같은데…"

"구구구구구구!!!!"

옆에서 비둘기 로봇이 난리 치기 시작했다.

"아니 그러니까 네가 알려줬어야지!!"

"구구구구!!!"

"진짜… 살아있는 것도 아니라 튀겨버릴 수도 없고… 아무 도움도 안 되는군…"

나는 일단 검을 장치에서 뽑은 후 뒷걸음질을 쳤다. 얼마 안 지나자 장치에서 더 많이 스파크가 튀기 시작했으며 이상한 굉음까지 들리기 시작했다.

"야야 이거… 여기서 빨리 나가야겠다."

나는 들어왔던 곳으로 뛰쳐나가 그 건물을 탈출했다. 나는 건물의 밖으로 나온 후 최대한 그 건물에서 멀어 지려 했다. 내가 그곳을 탈출하고 약 3분 후… 건물의 아래에서 엄청난 굉음이 들려왔고 건물의 아래가 무너지면서 건물도 그래도 아래로 가라앉았다. 그리고 건물의 아래에서 강력한 파동이 터져 나왔다.

그 파동은 울산을 뒤덮었다. 그 파동을 직격으로 맞자 몸에 다시 힘이 빠지기 시작했다. 너무 강력한 EMP가 한꺼번에 퍼져와서 그런 건가… 결국 난 그 자리에서 기절하고 말았다.

***

"아…"

눈을 뜨자… 이상한 공간으로 와있다.

"여기는…어디지?"

나는 주위를 둘러봤다. 뭔가 굉장히 높은 곳에 올라와 있다.

"여기는… 관람차?"

어띤 놀이공원의 관람자의 안에 내가 타고 있다. 창밖으로는 어디인지 잘 구별이 되지 않지만 아름다운 야경이 펼쳐져 있었고 하늘에는 은하수가 보이고 있었다. 지금까지 본 적이 없던 것 같은 아름다움이었다.

"…!!!"

앞을 바라보자… 차에서 봤었던… 그 꿈속에서 보았던 그 아이가… 내 딸이 지금 다시 내 앞에 있었다.

"넌… 도대체…"

나는 떨리는 목소리로 조심히 그 애에게 물었다. 그 애의 얼굴은 확실하다… 그 애는 창밖을 바라보고 있는 듯했다. 그러다 얼마 뒤 창밖을 바라보던 딸의 얼굴이 점점 내 쪽을 바라본다. 그리고 몇 마디를 하기 시작했다.

"난 지금 너무 행복해"

"뭐… 라고?"

알 수 없는 말들이었다. 하지만 딸의 몇 마디에 마음 한쪽이 차갑게 시려왔다. 그리고 얼마 안 지나자… 또… 다시… 딸의 얼굴이 흐릿해진다.

"잠깐… 잠시만…"

"기다려!!"

딸의 얼굴이 이 꿈이 흐릿해져 사라지기 전에 나는 딸을 향해 손을 뻗으며 외쳤다.

그…

애는…

***

다시 어딘가에서 눈을 떴다. 어째서인지 왼쪽의 눈에서 눈물이 흐르고 있었다. 이 이상한 꿈은… 도대체… 이유를 모르겠으나 아까도 그렇고 이런 이상한 꿈을 꿀 때면 마음 한쪽이 아려오는 듯했다.

"여기는… 아까 그 공사장인가…"

나는 무너진 공사장에서 그리 멀지 않은 곳에 쓰러져 있었다.

"아저씨 잠 진짜 많네요"

바닥에 쓰러져 있는데 머리 위에서 익숙한 목소리가 들려온다. 내 머리 위에서 아이비가 자신의 해킹도구를 두드리고 있었다.

"아이비…? 네가 왜 여깄는 거지?"

"너는 내가 분명 안전한 곳을 찾아서 숨으라 했을 텐데?"

"아니… 그… 일이 좀 많이 꼬였는데…"

아이비가 머리를 긁적이며 한숨을 쉬었다.

"무슨 일이 있었길래 그러냐"

"제가 일단 아저씨가 가고 나서 숨어있기는 했거든요? 근데 갑자기 무슨 이상한 놈들이 다가오는 거예요"

"딱 봐도 위험해 보이는 깡패들 무슨 느낌인지 알죠?"

"근데 그런 놈들이 다가오길래"

"그래서 아 걸렸구나 큰일 났네 라고 생각하면서 호버 보드라도 휘두르면서 싸우려던 순간"

"갑자기 엄청난 파동이 쿵~ 하고 날아오더니"

"그 파동을 맞은 호버 보드가 갑자기 작동되면서 호버 보드를 타고 그 장소를 탈출했어요"

"아… 그 파동이 거기까지 퍼져나갔나 보군…"

"네네 어쨌든 그렇게 탈출했는데 갑자기 이번에는 두부가 날아오더라고요?"

"그리고 무언가 굉장히 다급해 보여서 따라갔더니 여기서 아저씨가 바닥에 쓰러져서 자고 있었어요"

아이비가 엄청 빠르게 말했다.

"하 그랬던 건가?"

"아저씨 너무 많이 주무시는 거 같은데"

"걍 한번 푹 쉬시는 게 어때요?"

"됐다 그럴 시간 없이"

"아니… 그러다가 진짜 훅 가요 중요한 순간에 또 졸리시면 어떡하시려고"

아이비가 걱정스러운 목소리로 말했다.

"걱정하지 마라 이제 그럴 일 없어"

"진짜요?"

"모르지"

"아니ㅋㅋ 네"

"하… 그런데 네가 숨어있는데 걸렸었다고?"

"네네"

"그럼 놈들이 우리를 찾아다니는 거 같군"

"모든 사람을 죽여놓고 놈들이 그렇게 수색하고 돌아다니는 데는 그 이유밖에 없겠지"

아까 쓰러뜨린 놈 중 한 놈이 알린 것 같다 그냥 전부 확실하게 확인 사살을 해야 했나…

"그럼 이제 어떡하죠… 숨더라도 녀석들에게 다 걸릴 것 같은데…"

"EMP 장치는 얼마나 남았지?"

"네? 아 네 방금 아저씨가 자고 있을 때 두부의 데이터를 장치에 연결해서 EMP 장치를 역추적한 정보를 내려받아서 확인해 봤는데요 한 3곳에서 나타났어요"

"근데 하나는 아저씨가 완전 개 박살을 내 버리셨으니까… 2개? 남은 거 같네요"

"호버 보드와 그 해킹도구가 제대로 작동하는 거 맞겠지?"

"네네 이 3개의 장치 중의 하나가 사라지니까 EMP의 힘도 약해진 거 같아요"

"아저씨도 검 확인해봐요. 작동할걸요?"

나는 등에서 검을 뽑아 확인했다. 검에 다시 플라즈마가 활성화돼 있었다.

"그렇군…"

"그래 그럼 됐다."

"울산에는 안전한 곳이 이제는 없는 거 같으니 날 따라와라"

"오? 진짜요? 네!!"

"좋냐?"

"당연하죠!!"

"아니… 이해가 안 가는군…"

"그리고…그 비둘기 아무리 봐도 좀 바꾸는 게 좋을 것 같다"

"왜요! 두부가 뭐가 어때서!!"

아이비가 비둘기 로봇을 어깨에 올려놓으며 말했다.

"그놈이 말은 못 하고 비둘기 소리만 내니까 내가 장치를 부숴버린 거다"

"말이 가능했다면 내가 설명을 듣고 껐겠지"

"아… 그건 비둘기라 어쩔 수 없는…"

"아니 차라리 그럴 거면 비둘기 하나를 사거나 잡아다가 새로 키우는 게 어떠냐? 진짜 비둘기 같은 걸 원하면"

"예? 아니 그래도 말은 못 해도 도움이 되는 게 얼마나 많은데 요!! 아저씨도 봤으면서!!"

"그리고 진짜 비둘기는 관리해야 할 게 많잖아요. 또 나이 먹으면 언젠가는 죽게 돼 있고…"

"… 어쨌든 다음에 무슨 일이 생길지 모르니 좀 말하는 기능이라도 넣어봐라"

"뭐… 고려는 해보죠"

"그럼 나머지 2곳은 어디지?"

아이비가 자신의 해킹도구의 화면을 홀로그램으로 띄웠다.

"나머지 2곳은 다 이상한 건물 안에 숨겨져 있어요"

"근처에요 걸으면 한 5분 정도?"

아이비가 호버 보드를 타고 날아올랐다.

"그런가? 그래 바로 출발하지"

***

이번에는 비둘기 로봇이 아닌 아이비의 안내에 따라 남은 EMP 장치를 찾아 나섰다.

"건물은 어떻게 생긴 거지?"

아이비가 해킹도구를 바라봤다.

"어… 강 빌딩 2개에 있어요"

"진짜 도움이 되는 정보로군 이곳에 빌딩이 한두 개야?"

"아 그렇긴 한데요…"

"하…"

"음… 그냥 저 따라오세요. 여기서는 뭐 그렇다 할 생명체 신호도 안 잡히고 있고"

"강 가면 쉽게 해체할 수 있을 거예요"

"…믿어보지"

아이비가 호버 보드의 속도를 높여 내 앞으로 앞질러 갔다. 빠르게 달려 아이비를 좇아갔다. 그렇게 도착하게 된 한 빌딩의 앞 약 4층으로 보이는 작은 건물 하나가 보였다.

"나는 빌딩이라고 해서 좀 높은 건물인 줄 알았더니… 고작 4층 건물 가지고 빌딩이라 한 거냐?"

내 말에 아이비가 놀란 표정으로 날 바라봤다.

"아저씨 빌딩은 높은 건물만을 빌딩이라고 부르는 게 아니라 통념적으로 사무용으로 쓰이는 건축물을 빌딩이라 하는 거거든요?"

"…그렇군"

"헤"

아이비가 팔짱을 끼고 웃고 있었다.

"…그래 그럼 EMP 장치는 몇 층에 있는 거냐"

"일단 4층에 있는 거로 보이고 있어요"

나는 이 건물을 한번 훑어봤다. 무슨 외부에 그렇다 할 보안체계도 제대로 갖춰져 있지 않았고 아이비의 말대로 생명체 신호도 감지되지 않았다. 프로그램에도 아무것도 감지되지 않았다.

"이 건물에는 딱히 위협될만한 것은 없어 보인다."

"그냥 창문을 뚫고 들어가도록 하지"

"네 좋아요… 잠깐만요 그냥 창문을 뚫고 들어가겠다고요?"

"그래"

"아니 기습이라는 걸 몰라요? 잠입?"

"아니 위험한 것이 그 무엇도 확인되지 않았는데 굳이 그렇게 조심하면서 가겠다고?"

"확인되지 않았어도 어떻게 될 줄 알고요! 안전하게 가서 나쁜 것 없죠"

"그냥 창문 깨고 가는 것도 안전하고 더 빠르다 그냥 내 말 들어"

"창문 깨는 게 어떻게 안전… 아… 네 그래요"

난 왼팔을 총으로 변경한 후 4층의 창문에 발사했다. 4층의 창문이 깨졌는데도 그 어떠한 반응도 나타나지 않았다.

"안전하댔지?"

"쳇"

나는 건물의 벽을 타고 올라 4층에 진입했다. 4층에도 아까 건물의 지하에서 보았던 것과 똑같은 장치가 있었다. 내가 먼저 올라가고 얼마 안 지나서 아이비가 호버 보드를 타고 천천히 올라왔다.

"와… 저게 EMP 장치구나… 신기하게 생겼네요""

"확인했으면 빨리 저 EMP 장치를 꺼버려라"

"네에 네에 잠시만요"

아이비가 호버 보드에서 뛰어내린 후 EMP 장치로 다가간다. 그리고 자신의 해킹도구를 EMP 장치의 제어판에 연결했다. 그리고 해킹도구에 있던 파일을 제어판에 넣기 시작했다.

"뭘 업로드하고 있는 거지?"

"음… 제가 발명한 건데 그냥 웬만한 기계는 이 파일 투입하면 작동을 멈춰버려요"

"뭐? 웬만한 기계는 다 된다고?"

"네 작디작은 조그마한 시계부터 200엑사플롭스급 컴퓨터도 이 파일 먹으면 웬만해서는 바로 망가져요"

아이비가 자랑스럽게 말했다.

"뭐?? 그건… 뭐 어떻게 개발한 거지?"

"걍 여러 가지 쓰레기들을 한… 5년 넘게 모으고 모아서 한 번에 압축시켜서 만들었어요"

"안에는 온갖 바이러스부터 여러 가지 진짜 듣도 보도 못한 프로그램들이 내장되어 있죠"

"그게… 개발이 맞나?"

"헤헤"

"… 그래… 그럼 EMP 장치 무력화에는 얼마 정도 걸리지?"

"이게 파일 양이 적은 게 아니라 좀 상당히 오래 걸릴 거 같아요"

"그래 알았다"

나는 아이비가 그 파일을 EMP 장치에 업로드 할때까지 기다렸다.

"하… 근데 아이비"

"네?"

"내가 곰곰이 생각해봤던 게 하나 있다"

"네 뭔데요?"

"그니까…"

그때 내가 뚫고 왔던 창문이 있던 벽이 그대로 폭발했다. EMP 장치 뒤에 있던 아이비는 무사했지만 나는 폭발의 충격으로 반대쪽 벽으로 날아가 부딪쳤다.

"아저씨!!!"

폭발한 벽의 연기 속에서 로프 여러 개가 아래에서 올라와 연결됐다. 그리고 적 갱단원 여러 명이 그 로프를 타고 올라왔다. 놈들은 각각 소총을 하나씩 들고 있었다.

"…!!!"

나는 프로그램의 메신저로 급하게 아이비에게 문자를 보냈다.

[아이비 넌 그 파일 업로드를 계속해라]

[네?]

[너는 내가 무슨 수를 써서든 지켜낼 테니]

[아… 그!]

[아 네 알겠어요. 아저씨를 믿어볼게요]

나는 프로그램으로 적의 위치를 파악했다. 그나마 안전하게 끝내려면 건물 벽이 폭발할 때 일었던 연기가 사라지기 전에 암살해야 한다. 올라온 적의 수는 5명 1층으로 진입 중인 적의 수는 10명 또한 건물 밖에서 대기 중인 인원은 10명… 정말 많이도 몰고 왔군…

나는 천천히 숨을 죽이고 조용히 움직이기 시작했다. 아이비는 현재 EMP 장치 뒤에 숨어있다 1층에서 진입하는 놈들이 오기 전에 끝을 보지 않는다면 양쪽으로 포위되어 당할 가능성이 크다.

우선 벽을 터뜨리고 진입한 5명이 가로로 1줄로 서서 오고 있기 때문에 여기서는 암살하는 것이 불가능하다. 나는 우선 내가 부딪혔던 벽의 옆에 있던 계단으로 3층으로 내려갔다. 그리고 바로 3층의 창문을 열고 벽을 타고 올라서 벽이 터진 4층으로 진입했다.

그러고 나서 우선 한 명의 목을 검으로 찌른 후 옆에 있던 놈의 옆구리를 검으로 찔렀다. 그리고 바로 목을 찌른 후 터진 벽 쪽으로 던져 아래로 떨어뜨렸다. 다른 놈들은 연기로 인해 내가 뒤에 있다는 것을 파악하지 못하는 듯했다

나는 처음 내가 목을 찌른 놈이 떨어뜨렸던 소총을 주운 다음 남은 3명의 머리에 발사했다. 일단 그렇게 해서 4층으로 진입한 적들은 처리했다. 하지만 내가 한 명을 밖으로 던졌기에 다른 추가 병력이 오게 될 가능성이 크다. 빨리 이곳을 뜨는 수밖에 없을 것 같다.

"아이비 괜찮나?"

아이비는 총소리에 많이 놀란 듯 EMP 기계의 뒤에 숨어서 귀를 막고 몸을 움츠리고 있었다.

"아… 다 끝난 거죠?"

"좀… 빨리 업로드 해야겠다"

"네?"

"저놈들만 온 게 아니야 아래에서 약 20명이 더 있다."

"X친… 뭐라고요??"

아이비가 크게 소리쳤다.

"조용! 조용히 해라… 그러니까 빨리 좀 업로드 해보라는거다."

"기다려요. 잠시만요!! 한 3분만 더…"

그때 이번엔 계단으로 가는 문이 부서지며 적 병력이 들어오기 시작했다. 부서지면서 날아오는 철문을 나는 검으로 베어서 반으로 갈라버렸다.

"와아아악!!!! 어떡해!!!"

"집중해라!! 이번 아니면 그 장치를 비활성화시킬 기회는 없을지도 몰라!!"

"아…네 네!! 자 잠시만요!"

아이비가 더 다급하게 장치를 건드리기 시작했다.

"목표물 발견 즉시 사살하겠습니다"

녀석들이 전부 총을 겨누기 시작했다. 저 녀석들을 아이비를 지키면서 전부 처리하는 건 사실상 불가능하다. 우선 어떻게든 시간을 끌어야 한다.

나는 우선 아까 베어버렸었던 철문의 파편을 집었다, 내가 베었던 부분은 날카로워져 있었다. 나는 적들에게 철문의 파편을 던졌다. 그러자 앞에 있던 3명 정도가 파편의 날카로운 부분에 몸이 절단되고 파편은 문 입구에 박혔다. 그러자 뒤에 있던 녀석들이 총을 쏘기 시작했다.

"아이비 이 프로그램에 적의 총기 정보라던가 남은 탄약수는 안 알려주는 건가?"

"네? 그걸 알려줘요? 제가 어떻게 알고 만들어요. 그걸?"

"아니… 하 그래"

나는 나머지 철문 파편으로 총알들을 막으며 버텼다.

"여기 문은 의외로 단단하군. 총도 막을 정도라니"

"지금 문의 내구성에 감탄할 때에요?"

"아저씨!! 이제 빨리 도망칠 준비해요. 이제 진짜 거의 다 왔으니까!!"

아이비는 말을 마친 후 얼마 지나지 않아 자신의 해킹도구를 EMP 장치의 제어판에서 분리했다.

"자 됐어요!! 그런데 어디로 도망쳐요?"

아이비가 내 뒤로 와서 숨은 뒤 물었다.

"저 부서진 벽을 통해 호버 보드로 먼저 탈출해라"

"네?"

"최대출력으로 달려!!"

"아저씨는요??"

"일단 그냥 하라면 해봐라!!!"

"아니!! 하 일단 알겠어요!!"

아이비는 호버 보드를 작동시켰다. 그리고 그 위로 올라타고 부서진 벽으로 최대출력으로 돌진했다. 아이비가 이 건물의 밖으로 나갔을 때 나는 문을 버리고 아이비를 향해 뛰었다. 그리고 아이비의 호버 보드의 뒤를 잡았다. 그러자 호버 보드가 크게 흔들렸다.

"와아악!! 아저씨 뭐예요??? 이럴 작전이었어요?"

"그래 그러니까 잘 조종 좀 해봐라. 이러다 떨어지겠어!!"

"미리 말해주시지!! 그리고 사람 달고서 조종하는 건 처음인데… 아니! 아아아!!!"

그때 뒤에서 수많은 총알이 빗발쳤다. 아이비는 최대한 총알들을 피하며 보드를 안정시키려 했으나… 결국 호버 보드를 안정시키는 데 실패했고 나와 아이비는 어딘가의 건물의 옥상에 추락했다…

***

"아야야… 아니…아저씨 그런 작전이면은 최소한 뭐 메시지라도 남겨주시지 막 그냥 가라고 하면은 제가 어떻게 대비해요!!"

아이비가 바닥에 앉아서 짜증 섞인 말투로 말했다.

"그래도 잘 해결됐으면 그만 아닌가?"

"아니… 하… 네 뭐 그렇네요…"

"그렇다고 하죠…"

아이비가 한숨을 내쉬었다.

"그래 그럼… 다시 움직여 보도록 할까"

"나머지 하나는 어디 있는 거지?"

"으음…"

"어!!?"

아이비가 이상하게 해킹도구를 바라보고 있었다.

"왜? 무슨 일이지?"

"아니… 왜지?"

"아니 무슨 일인데?"

아이비가 내게 자신의 해킹도구의 화면을 보여줬다.

"나머지 장치 하나가… 혼자서 비활성화된 거 같아요…"

"뭐? 왜?"

"저도 몰라서 당황한 거죠 지금!!"

"뭔가 따로 이상한 점이 발견되는 건 없나?"

"네… 그게 없어서 지금 이상한 거예요"

아이비가 장치를 이상하게 바라봤다.

"음… 어쨌든 비활성화된 거면 우리야 좋은 거 아닌가?"

"그렇기는 한데… 아무래도 조금 찝찝하죠"

"무슨 함정 같은 거일지…"

"일단 지금 당장은 무슨 일이 벌어지지는 않으니 우리는 우리 원래 목표를 노리러 간다."

"아… 쓰읍… 네 알겠어요"

우리는 우선 그 건물을 계단을 걸어 내려가면서 나노봇을 충전했다.

"호버 보드 상태는 괜찮은 건가?"

"네 쟤네 총 진짜 더럽게 못 쏘더라구요 한발도 안 맞았어요. 헤헤"

아이비는 웃으면서 보드를 하늘에 띄웠다.

"다행… 이군 그럼 이제 울산 중앙으로 향하겠다."

"네에~"

나와 아이비는 이제 울산의 중앙의 거대한 마천루로 달렸다. 인제 와서 갑자기 생각난 것인데… 갱단들은 참 빌딩을 좋아하는 거 같다.

"아이비"

"네?"

"중앙에 시청 대신 저 마천루는 언제 생긴 거지?"

"저 초고층 빌딩… 생긴 지 얼마 안 됐을 거예요"

"한… 3년 됐나?"

"3년? 3년 만에 저렇게 큰 마천루를 세울 수가 있다고? 현실적으로 가능한 건기?"

"저거 지으면서 로봇도 많이 부서지고 사람들도 많이 죽었데요. 진짜 빠르게 빠르게 하루도 안 쉬고 3년 동안 계속 공사해서 세운 게 저거라는데."

"로봇은 약 2,000대 정도 박살 나고 사람은 약 1,300명 정도 희생했다네요"

"미쳤군. 공사를 그따위로 진행하다니 이 도시는 대체 뭐야?"

"여기 갱단 보스가 좀 정신 나간 사람이라 하잖아요. 제가 정보 털면서 다른 해커들과 대화를 해봤는데 다들 울산 도시는 갱단 보스가 진짜 정신 나간 놈이라고 하더라고요"

"…해커들 사이에서도 악명이 높을 정도면… 말 다 했군"

나는 말을 마치고 계속 거대한 마천루로 달렸다. 점점 가까이 다가갈수록 그 마천루의 크기가 점점 더 거대하게 느껴져 왔다. 부산 갱단의 본거지 빌딩의 높이와는 비교도 안 되는 높이였다.

"진짜… 말도 안 되는 크기군"

"와… 진짜 엄청나네요. 이거 높이가 한… 700m 조금 안 되는 높이네요"

"뭐? 그 정도 높이라면."

"네 우리나라에서는 제일 높은 높이에…"

"전 세계에서 2위로 가는 높이네요"

"헛웃음이 나는군… 저런 걸 짓다니 저 공사를 진행하면서 국군이나 정부는 아무런 조치도 안 취한 거야?"

"힘이 안 되니까 그냥 밀린 거겠죠. 뭐…"

"국군과 정부보다 힘이 강하다고? 장난하나? 나라가 뭐가 어떻게 돌아가고 있는 거야?"

"저도 정말 미칠 것 같네요…"

일단 그렇게 우리는 마천루의 앞에 도달하는 데 성공했다.

"다른 쪽 건물들은 낮은 편인데 진짜 이 건물만 너무 높군"

"그러게요. 진짜 비현실적인 높이네요"

"방금 찾아봤는데 그 두바이의 부르즈 할리파보다 약 128m 정도 낮네요"

"그거랑 그 정도밖에 차이가 안 난다고?"

"저도 지금 너무 놀라운데요…"

"휴… 그래 뭐 일단 들어는 가봐야겠지"

"하… 근데 이 마천루가… 무서운 얘기가 좀 있거든요? 해커들 사이에서 돌던 이야기긴데…"

"뭐? 사람 1,300명 죽은 거?"

"아니 그것도 그건데 그 사람들의 시체를 그대로 그 건물의 지하에 묻어버렸다든지…"

"아니면 저 거대한 마천루의 한 층에 시체들을 쌓아놨다든지 진짜 섬뜩한 말들도 있더라고요"

"무슨 그런 말들이 돌아다니는 거냐…"

"제 말이요! 이게 뭔 말인지… 그런데 울산 갱단 보스가 상당히 정신병자라서 이게 충분히 실제로 벌어진 일일 수도 있다는 게 굉장히 무서운 거라고요"

"흠… 일단… 무슨 일인지는 알겠다."

"그래도 어쩔 수 없지, 들어는 가야 하니…"

"네 맞아요. 그렇죠…"

"무섭나?"

"네?? 저 이런 괴담 같은 거 진짜 좋아하는 성격이에요 무섭기 보다는 오히려 진짜일지 궁금한걸요"

아이비가 눈을 반짝이며 말했다.

"그런가?… 그래 그럼 잘… 됐군. 들어가자"

마천루의 앞에는 갱단의 본부라고는 생각이 들지 않을 만큼 아무도 없었다. 그렇게 나와 아이비는 세계에서 2위로 거대한 마천루로 들어갔다. 마천루의 내부로 들어가자 흰색의 밝은 조명이 켜저 있는 로비가 있었다.

"꼭…어디 대형 호텔 로비 같군"

옆에서 아이비는 보드에 올라타 눈을 반짝이고 있었다. 그리고 자신의 해킹도구로 내부의 사진을 찍기 시작했다.

"와 그러게요. 여기는 좀 인테리어에 신경을 많이 쓴 거 같네요"

"돈이 얼마나 깨졌을지…"

아이비는 로비의 여러 곳을 돌아다녔다.

"아이비 우리는 여기 놀러 온 게 아니다"

"아 근데 그렇긴 한데 솔직히 내부 잘 꾸미기는 했잖아요. 안 그래요?"

확실히 좀 예쁘게 꾸며져 있기는 했다.

"후… 그런데 여기에도 아무도 없군. 여기가 놈들의 본거지가 맞는 건가?"

"여기 말고는 딱히 있을 데가 없어서… 좀 여러 층을 돌아다니면서 수색해보죠?"

"알았다"

프로그램을 이용해 건물 내의 인원을 파악하려 했다. 하지만 그 누구도 감지되지 않았고 심지어 높은 층은 프로그램이 감지할 수 있는 영역을 벗어나 버려서 건물 끝까지는 확인하지 못했다.

진짜… 건물의 끝까지 프로그램이 안 닿는다니 다시 생각해봐도 너무 비현실적인 높이였다. 심지어 건물 내부 지도도 없는 상황이었다.

"그래서… 어떻게 할 거지?"

"네? 뭘요?"

"이 건물 수색 말이다. 프로그램도 이 건물의 끝까지는 닿지 않아 건물이 너무 거대해"

"그리고 건물 내부 지도도 없고"

"내부 지도는… 워낙 여기 인터넷 보안이 까다롭거든요. 그래서 건물 내부 정보를 못 찾아서 업데이트를 못 했어요"

"뭐? 네가 못 뚫을 정도로 인터넷 보안이 까다로워?"

"네 막 2중에 3중에 4중의 보호막이 깔려있고…"

"방금 EMP 장치도 보셨잖아요. 얘네 뭔가 인터넷 보안에 상당히 힘쓰고 있어요"

아이비가 질색하면서 말했다.

"일반 평범한 갱단이라고는 믿기지 않을 정도의 보안성이군…"

"아마 이 정도의 보안성을 가지고 있으니까 이런 도시 하나 먹는 게 가능하지 않았을까요?"

"흠… 아무래도 그렇겠지…"

"하… 그럼 이제 어떻게 해야 하는 거지? 뭔가 계획은 없나?"

아이비가 건물 내부를 둘러보면서 말했다.

"아마 직접 발로 뛰는 수밖에 없을 것 같은데요…"

"… 쉽게 끝나지는 않겠군"

"그렇겠죠…"

"일단 엘리베이터라도 탈까요?"

아이비가 엘리베이터로 달려가 엘리베이터를 불렀다.

"휴…"

나는 1층에 도착해있는 엘리베이터에 탔다. 아이비가 호버 보드에서 내린 후 엘리베이터 안으로 뛰어 들어왔다.

"우선… 낮은 층부터 수색해봐야겠죠? 1층에는 저희가 계속 있었는데도 아무 일도 안 일어났으니"

"그래 2층부터 가지"

엘리베이터는 2층으로 올라가기 시작했다. 건물의 높이는 높으나 1층에서 2층까지의 간격이 좀 긴듯했다.

"아저씨"

"왜"

아이비가 해킹 장치를 만지며 말했다.

"… 아니다 그냥 불러봤어요"

"아니…"

"아… 그… 잠깐 헷갈렸던 거예요. 아무것도 아니에요"

"하…"

"아 진짜 아무것도 아니에요!! 신경 쓰지 마세요"

내 한숨에 아이비는 더 다급하게 말했다.

"아니 아이비…"

내가 말을 하려던 순간에 엘리베이터의 문이 열렸다. 아이비는 엘리베이터를 빠르게 빠져나갔다. 나는 아이비의 뒤를 천천히 따라나섰다.

"2층은 뭐 방이 이렇게 많이 있대요…"

아이비가 2층의 쭉 늘어선 복도와 그 복도의 있는 방들을 보며 탄식했다.

"이거 다 열어봐야 하는 건가…"

2층은 거대한 복도와 여러 개의 문밖에 없었다. 호텔같이도 사용되는 건가? 그리고 역시나 2층에도 사람은 한 명도 발견되지 않았다…

"뭐… 별수 있나 하나하나 열어봐야지"

나는 복도 끝에 있는 방부터 갈 생각이었다. 그렇게 내가 복도의 끝 쪽 방으로 걸어가던 도중… 갑자기 이 건물의 모든 불이 꺼졌다.

***

"우와악 아저씨!! 이거 뭐예요? 아저씨가 껐어요?"

아이비가 당황하면서 내게 물어봤다.

"아니? 내가 어떻게 끄나 이걸!! 네가 뭐 잘못 건 든 거 아니야?"

"아닌데요!!"

그리고 얼마 안 지나자 복도에 붉은색 빛이 들어왔다. 그리고 이 마천루 내에 이상한 목소리가 들려오기 시작했다.

"비상 비상 비상 비상사태"

"이것은 훈련이 아닌 실제 비상사태입니다."

"무, 무슨일이죠?"

"나야 알겠냐?!"

나와 아이비가 그 목소리에 혼란스러워하고 있을때 추가적인 목소리가 더 들려왔다.

"비상 현재 울산시의 주요 데이터망이 사이버공격으로 인해 외부로 유출된 것이 확인"

나는 이 목소리가 들리자마자 아이비를 바라봤다. 아이비는 멋쩍은 웃음을 짓고있었다.

"이에 주요 정보들이 담겨져있는 울산타워를 소각하기로 결정"

"비상 비상 비상…"

이게 무슨 미친 소리지?

"아저씨… 지금… 저 말은 곧…"

"그래 이 건물을 통째로 불태우겠다는 거다 1층부터"

"와… 막 나가는구나 정보가 유출될 바에는 그냥 정보와 증거들을 없애버리겠다는 거네요. 지금?"

"그렇지"

"10초 후 소각이 시작됩니다"

이 말을 끝으로 안내방송이 카운트를 세기 시작했다.

"그래도 10초 줬는데 진짜 빨리 나간다면 간신히 탈출할 수 있지 않을까요?"

아이비가 다급하게 말했다.

"너… 1층에서 엘리베이터 타고 여기 오는 데 얼마나 걸렸는지 안 세봤나?"

"하… 그럼 어떻게 해요??? 1층부터 소각한다면… 우리는 도망칠 곳이 없는데?"

"엘리베이디 작동은 멈췄나?"

아이비가 엘리베이터로 달려간다. 그리고 엘리베이터를 부르는 버튼을 눌렀으나…

[접근할 수 없습니다]

[접근할 수 없습니다]

[접근할 수 없습니다]

누를 때마다 접근할 수 없다는 안내 음성이 나왔다. 아이비는 다리에 힘이 풀렸는지 그 자리에 주저앉았다. 그리고 낮은 목소리로 말하기 시작했다.

"이제 진짜로 죽을 거야 죽을지도 몰라 아니 틀림없이 죽을 거야 죽는다. 이젠 죽는 건가? 벌써 죽는다고? 난 아직 앞날이 창창한데 결국 통구이로 생을 마감…"

"아이비 정신 차려라. 아직 방법이 있어."

"네… 네!?"

"1층은 지금부터 소각 작업이 시작되었을 거다… 그렇다면 높은 층으로 올라가는 거야"

"네? 진심이에요?"

"건물 전체를 태워버릴 거예요! 건물의 벽은 아마 방폭시스템이 기본으로 달려있어서 웬만해서는 부수고 탈출도 어려울 테고…"

"엘리베이터도 안 되는 거 보셨잖아요!! 무슨 수로 올라가요…"

아이비가 거의 울먹이면서 말했다.

"계단을 이용하는 거야"

"계단이요? 아니… 이 건물 높이만 700m 약 140층이나 될 텐데 그걸 계단으로 올라갈 거라고요?"

"그래"

"그럼 진짜 만약에 올라간다면요?"

"뭐?"

"올라간 다음에는 어떻게 할 건데요…"

"일단 옥상으로 올라가는 거다"

"네? 아니 그게 뭔…"

"나를 못 믿나?"

"아니 그건 아닌데…"

"그런데요. 옥상으로 가는 문은 아마 보안 시스템이 있을지 몰라요"

"그… 그건 어떻게 하실 건데요?"

"너가 있잖냐"

"네?"

"왜 네가 너보고 천재에 유능한 해커라고 했었잖아"

"아… 그렇긴 한데"

"왜 자신감이 없나? 언제는 자기 좀 믿으라면서 화내던 때의 모습은 어디 갔지?"

아이비가 상당히 혼란스러워했다.

"아이비 내 눈을 똑바로 바라봐라"

나는 아이비의 눈을 바라봤다.

"너를 믿고 또 나를 믿어라. 우리는 살아나갈 수 있어."

"아직 충분히 가능하다."

"아저씨…"

아이비가 한동안 고개를 숙이고 앉아있다가 얼마 뒤 나를 결의에 찬 표정으로 바라봤다.

"네… 알겠어요 해볼게요"

"잘 생각했다."

"일단 이 건물의 비상 탈출 계단은 이상하게도 층마다 위치가 달라요"

아이비가 메시지로 방금 1층에서 찍었던 건물의 지도를 보내면서 설명했다.

"어떤 층은 복도의 오른쪽 끝 또 어떤 층은 복도의 왼쪽 끝"

"이렇게 지그재그로 이루어져 있어요"

"복도를 엄청나게 뛰게 될지도 몰라요…"

"걱정하지 마라 너는 먼저 호버 보드를 타고 빨리 올라가라"

"연락은 프로그램의 메시지로 진행하고"

"아저씨는요…??"

"네가 먼저 가서 그 옥상 문을 열어둬 나는 뒤따라서 쫓아갈 테니"

"내 걱정은 하지 마라"

"아저씨…"

아이비가 들고 있던 호버 보드를 하늘에 띄웠다.

"늦으면… 가만 안 둘 거예요…!!"

아이비가 거의 우는듯한 목소리로 말했다.

"그래… 먼저 가라 옥상에서 만나자"

아이비는 나를 걱정스럽게 보다 호버 보드를 타고 먼저 비상계단으로 날아가기 시작했다.

"하…"

1층은 벌써 대부분 소각이 완료됐는지 2층의 바닥 온도가 높아졌다. 빠르게 움직여야 할 것 같다. 나는 아이비가 먼저 출발하고 얼마 안 지나서 아이비가 날아간 길을 따라 달리기 시작했다. 우선 바로 비상계단으로 향했다. 2층의 바로 앞까지 불길이 치솟았다.

나는 우선 계단을 4~5개를 한꺼번에 뛰어넘어가며 3층으로 올라섰다. 그때 아이비가 메시지를 보내왔다.

[그… 저 아저씨? 잘 오고 있죠?]

[내 걱정은 하지 말라니까 언제는 나는 걱정 안 한다 했었으면서]

[아니 그렇긴 한데요… 알려줄 게 하나 있어서요]

[뭔데]

[이 마천루 뭔가 이상해요]

[뭐?]

[제가 올라가면서 이곳의 복도들을 전부 장치와 프로그램 이용해서 스캔해보고 있거든요?]

[그런데?]

[그런데 이곳의 복도들에 무언가 이상한게 많이 있어요]

[이상한 거라니? 자세히 설명해봐라]

[그러니까 쉽게 말하면 숨겨진 장해물들이 많아요]

[차단벽이 숨겨져 있기도 하고 걸리면 5,000볼트짜리 전류가 흐르고 있는 다트? 같은 걸 발사하는 센서가 있기도 하고요]

[그리고 무슨 레이저들이 장해물로 돼 있는… 그러니까 막 있잖아요. 영화에서 은행 같은 곳에 보안 시스템으로 있는 레이저…]

[아 뭔지 알 것 같다. 근데 그건 걸리면 경보가 울리는 용도로 쓰이지 않나?]

[여기는 그냥 그 레이저에 닿는 순간 닿은 곳이 절단된다고 보면 될 것 같아요]

[그런 게 있다고…?]

[그리고 더 큰 문제가 뭔지 알아요?]

[뭐? 지금까지 말했던 것보다 더 큰 문제가 있다고?]

[네]

[뭔데]

[먼저 앞서가는 저를 파악한 이 마천루 안의 장해물 즉 보안 시스템들이 작동하기 시작했어요]

[저는 이미 지나가서 상관없는데… 아저씨는 제가 지나가면서 작동하기 시작한 보안 시스템들을 헤치고 오셔야 할 거예요]

[… 이건 떨어져서 가는 게 잘못된 판단이었나…]

[일단… 장해물들은 아까 말한 거 말고는 없는 건가?]

[일단 오면서 스캔한 숨겨져 있는 보안 시스템들은 그 정도밖에 없어요]

[근데 그게 층마다 복도에 상당히 많이 깔린 게 문제죠…]

[일단… 나는 어떻게 해서든 알아서 피해 가볼 테니 너는 속도를 늦추지 말고 최대한 빨리 올라가라]

[진짜요? 아니면 제가 좀 기다렸다가 같이 보안 시스템에 안 걸리고 가는 게…]

[아니 다시 생각해봤는데 같이 가다가 둘 중 하나라도 잘못된다면 시간이 너무 지체된다]

[차라리 네가 먼저 가고 혹시라도 네가 앞에서 잘못돼도 나를 기다리면 내가 가서 바로 도와줄 수 있으니까 네가 먼저 가는 게 더 좋아]

[그리고 너의 지금 목표는 옥상으로 가는 문을 여는 거다 그 목표만을 생각하면서 어떻게든 빠르게 올라가라]

[아… 네 알겠어요. 혹시라도 필요하면 바로 연락 해야 해요!!]

[알았다]

아이비가 지나가면서 이곳의 함정들이 움직이기 시작했다. 아이비와 메시지를 주고받으며 달려서 도착한 10층 10층부터 장해물들이 나타나기 시작했다. 복도의 위와 아래에서 차단벽이 올라오기 시작했다. 차단벽의 두께는 대충 봐도 최소 1m 웬만한 폭탄이나 공격으로는 부서지지 않을 것 같다. 닫히기 전에 빠르게 뚫는 수밖에 없다. 나는 지금까지 달리던 속도보다 더 빠르게 달리기 시작했다.

바로 앞의 아래에서 차단벽이 올라오기 시작했다. 나는 올라오는 중인 차단벽을 위로 뛰어넘었다. 그 후 바로 앞에서 이번에는 위에서 내려오기 시작했다. 나는 아래로 미끄러지듯 지나가며 차단벽을 피했다.

이 정도의 장해물이라면 충분히 지나갈 수 있다. 하지만 지나가는 건 문제없어도 시간이 문제 아래에서 본격적으로 건물을 더 빠르게 불태우고 있다. 심지어 이 건물의 복도에는 창문이 아예 존재하지 않아 연기가 건물 안에 빠르게 차오르고 있다.

이 건물… 소각 작업이라는 이상한 기능에 건물에 창문 하나 없고 이런 장해물들이 있다는 건… 애초에 이 건물의 건설 의도는 아예 함정용으로 만들어진 걸 수도 있겠군 이 건물의 소유는 울산 갱단이 거의 확실하다.

이 갱단의 보스는 어딨는 거지? 밖에서도 보스로 보이는 사람은 본 적이 없다 심지어 건물이 이렇게 불타고 있는데 이 건물에 있을 리가 없겠지. 여기는 여러모로 이상하군 하지만 지금은 다른 걸 생각할 시간이 없다. 무조건 건물 탈출이 최우선이다.

그렇게 차단벽 장해물들을 피하며 도달한 20층 아직 체력이 충분히 버틸만해 비상계단을 나와 20층에 들어서자 아까 아이비가 말했던 레이저 장애물들이 있었다. 프로그램으로 레이저를 스캔해보자… 레이저의 출력량이 200kW였다.

"걸리면 확실하게 죽일 수 있도록 만들어뒀군…"

미군 함정의 대공방어 무기에 사용되는 레이저의 출력량이 300kW라는 것을 생각해보면 이건 상당히 정신 나간 수치라는 것을 알 수 있다.

"후우…"

나는 레이저 함정을 향해 뛰어들었다. 마구잡이로 배치된 함정들을 어떻게든 빠져나가야 한다. 불에 타죽던지 레이저에 걸려 죽든지 똑같다. 나는 레이저들의 사이를 피하며 계속해서 앞으로 나갔다.

[아저씨 잘 오고 있어요? 필요한 거 없어요?]

아이비가 갑자기 메시지를 보내왔다. 나는 34층을 달리던 중 갑작스러운 메시지에 답하려다 오른쪽 볼이 살짝 레이저에 닿았다. 그러자 레이저에 닿았던 살 조금이 그대로 떨어져 나갔다. 나는 오른쪽 볼에 흐르는 피를 우선 오른팔의 옷으로 대충 닦고 그 층의 함정을 지나갔다.

[아저씨…?]

[나는 괜찮아]

나는 함정을 지나가고 잠시 계단에서 휴식을 취하며 답장했다.

[그냥… 군인 때 훈련했던 것보다 더 힘들긴 하군]

[아… 좀만 힘내요! 지금 몇 층째에요?]

[34층이다]

내가 메시지를 보내고 한 5분 정도 있다가 아이비가 답장을 보냈다.

[… 힘내요!! 필요하면 언제든지 연락 하시고요!]

[그래]

나는 계속 피가 흐르는 오른쪽 볼을 다시 옷으로 대충 닦은 후 달리기 시작했다. 그렇게 고출력 레이저 장애물들을 피하며 한참을 달리고 달렸다. 이제는 몇 층인지 분간도 잘 가지 않는 상황다리에는 이제 감각이 없다.

후… 몇 층째일까? 이번 층에는 아무런 함정도 보이지 않았다. 불은 속도가 느려지지 않고 계속해 빠르게 따라오고 있었다. 나는 이번 층에도 달리던 중 무언가가 갑자기 내 다리에 빠르게 꽂혔다.

… 그 꽂힌 무언가에는 굉장한 전류가 흐르고 있었다. 내 다리는 그 전류에 당해 감전되어 멈추고 말았다. 아까 아이비가 말했던 5,000볼트짜리 전류 다트인가… 이 다트는 발사된 발사 장치와 연결되어 전류를 계속해서 공급받고 있었다.

저걸 끊어내든지 해야 하는데… 그때 이번에는 뒤에서 내 등에 다트 하나가 더 꽂혔다.

…

몸을 아예 움직일 수 없다. 완전히 멈춰버렸으며 프로그램마저 에러가 일어나 메시지 또한 사용할 수 없었다. 그때 뒤에 비상계단에서는 불이 폭발을 일으키며 더 빠른 속도로 다가오고 있었다. 내 운도 결국 여기서 다한 건가…

서서히 눈이 감긴다.

다트 하나가 더 날아와 왼팔에 확실하게 꽂힌다.

아이비라도 잘 탈출해야 할 텐데…

여기까지 왔는데 결국…

***

…아…

…?

뭐가 어떻게 된 거지?

…아…

…아저씨!!!!

…!!

***

"…아저씨 좀 눈 좀 떠봐요!!!!!"

아이비가 소리쳤다. 나는 하늘을 날고 있었다.

"이게… 어떻게 된…"

나는 눈을 뜨고 주위를 바라봤다. 복도를 빠른 속도로 날아가고 있었다.

"아니 하… 어떡해, 어떡해…!!!"

아이비는 나를 업고서 보드를 타고 날고 있었다.

"아… 이… 비?"

나는 힘겹게 목소리를 냈다.

"아! 아저씨 일어났구나!! 와… 진짜 너무 다행이다 진짜로!!!"

아이비가 안도의 한숨을 쉬면서 말했다.

"이게 어떻게 된 상황이지…?"

"내가 먼저 날아가라 하지 않았나??"

내 말에 아이비가 발끈하며 말했다.

"지금… 뭐라고요? 아니… 지금 그게 할 말이에요? 이저씨 전기구이 될뻔한 거를 제가 구해줬더니…!"

"아저씨 만약 제가 위에서 그대로 기다렸다 봐요? 그냥 그렇게 죽을 뻔했어요!!!"

생각해보니… 이건 아이비가 오지 않았다면 위험했을 수도 있다.

"… 그래, 고맙다… 이건 진심이야…"

"헤헤"

"뭐가 어떻게 된 거지? 내가 이렇게 된 걸 어떻게 알고 왔던 거냐??"

내 말에 또다시 아이비가 발끈하면서 말하기 시작했다.

"아저씨 제가 함정 조심하라 했었죠?!! 제가 메시지를 50통을 넘게 보내도 답이 없으시길래 혹시나 하는 마음에 아래로 내려가보니까"

나는 아이비가 메시지를 보냈다는 말에 바로 프로그램을 열어서 확인해봤다. 메시지 아이콘에 99+ 표시가 떠 있었다…

[아저씨 잘 오고 있죠?]

[아저씨?]

[왜 답을 안 해요????]

[아저씨?!!!]

[아저씨 임티라도 보내봐요!!!]

[따봉 이모티콘 따봉 이모티콘 따봉 이모티콘]

[아이비(이)가 기프티콘을 보냈습니다]

[동영상]

[이미지]

[무슨 일 생긴 거예요?? 지금 몇 층이에요?? 어떻게 된 거예요?? ㄱ이라도 보내봐요!! ㄱ이 싫으면 ㄴ이나 ㄷ이라도 보내줘요!!]

[아 3분 아니 30초 아니 3초 안에 답 안 하면 제가 내려갈 거예요?!!]

걱정을… 많이 했구나…

"그 전기 다트를 3발이나 맞으시고 기절해 계시길레"

"바로 발사기와 연결을 끊어버리고 제가 아저씨 업고 다시 날아가고 있잖아요!!"

"그니까 필요한 일 있으면 바로 저 부르라니까!"

아이비가 빠르게 상황을 설명했다.

"… 그랬던 거였나"

"그런데 다시 돌아오면서 활성화된 장해물은?"

"다 무력화시켜서 집어넣어 났어요!"

"그걸 다 무력화시켰다고? 그 짧은 틈에?"

"이게 전문가예요~"

이후 아이비는 호버 보드의 속도를 더 높였다.

"그럼 옥상으로 가는 문은?"

"지금 두부가 제 해킹도구를 옥상의 보안 시스템에 연결했을 거예요"

"그래서 아마 지금 보안 시스템의 무력화가 진행 중 일 거에요"

"저희가 올라간다면 아마 무력화가 다 끝나있을 거에요!"

"제 원래 계획은 옥상에서 제가 연결해서 문을 바로 열어두고 아저씨를 기다리는 거였는데"

"…옥상에 도착하고 나서 아저씨에게 메시지를 보내봤는데 답이 없어서 인터넷 정보 수집기를 연결 못 하고 다시 내려온 거였거든요"

"장애물들을 다 비활성화시키는 데 사용해야 하니까…"

"그리고 아저씨를 찾고 아저씨를 업고 나서 두부에게 인터넷 정보 수집기를 보안 시스템에 연결하라고 올려보냈어요"

"잠깐만…"

"옥상에 올라갔다가 다시 내려왔었던 거라고?"

"이거 호버 보드 생각보다 빠른 편이에요 히히"

"… 그래 고맙다. 그리고 미안하군"

"에이 미안하다는 말 하지 마세요. 우리가 무슨 사이인데"

아이비가 웃으면서 말했다.

"…뭐?"

"네?"

"너… 뭐라 말했지 방금?"

"네? 제가… 뭔가 잘못 말했나요??"

내 말에 당황한 아이비가 조심스럽게 물어봤다.

"아니… 잘못 말한 건 아니고… 그냥… 그냥 물어보는 거다"

"어… 우리가 무슨 사이인데…? 이거 말하는 거예요?"

"아니 그 전에… 그전에 했던 말 말이다"

"아 미안하다는 말 하지 말라고요?"

'미안하다는 말하지 마'

이 말이 내 머리에 무언가 신호를 보내는듯한 느낌이 들었다. 하지만… 왜인지… 왜인지는 모르겠다.

"그래…"

"왜요 이 말이 뭐가 문제가 되는 말인가요?"

"아니 그건 아니야…"

그때 아이비가 내 말을 자르고 말했다.

"동료 사이에 미안한 거 그런 거 없는 거예요"

"아까 그 말이 무슨 숨겨진 의미가 있는지는 모르겠는데 저는 이 의미로 한 말이었어요. 헤헤 절대 다른 이상한 의도로 한 말이 아녔다고요"

"아… 그래… 그렇겠지…"

"뭐… 이제 좀만 더 가면 돼요! 이제 지금 137층을 달리고 있으니까"

아이비가 호버 보드의 속도를 높였다. 그렇게 나와 아이비는 매우 빠른 속도로 140층을 넘어 옥상으로 가는 계단을 향하고 있었다.

"확실하게 보안 시스템이 무력화가 됐겠지?"

"저만 믿으라구요! 두부!! 문 열어!!!"

문고리를 잡고 있던 비둘기 로봇이 문을 열었다. 그리고 문의 보안 시스템과 연결되어있던 해킹도구를 아이비는 문을 지나가면서 챙겼다. 그리고 그 비둘기는 어느새 내 등에 올라가 있었다. 그렇게 우리는 옥상으로 도착했다. 옥상으로 나오자 우리가 나온 비상구에서 불길이 미친 듯이 뿜어져 나왔다.

"내부 소각은 다 끝난 것 같군"

"하아… 하아…"

아이비는 보드에서 흘러내리듯이 내렸다.

"아이비 괜찮나?"

"진짜… 너무 힘드네요"

"그런데 저희 이제는 어떻게 내려가요?"

아이비가 바닥에 앉은 상태에서 물어봤다.

"옥상에서 평생 있을 거는 아니잖아요. 구조헬기가 날아 올 리는 없고"

"그렇지…"

"네 호버 보드로 내려가면 안 되나?"

"호버 보드를 이 정도 높이에서 타면 호버 보드 힘이 달려서 추락하게 될 거예요"

"그리고 처음부터 옥상으로 올라가라고 한 건 아저씨였잖아요. 무슨 생각해둔 계획 같은 거 없어요?"

"있긴 하다만…"

"그래요? 뭔지는 모르겠지만 그 계획으로… 꺅?"

나는 아이비를 들어 올렸다. 이후 아이비를 공주님 안기 자세로 안았다.

"아니 아저씨 지금 뭐 하는 거예요?"

아이비가 당황하면서 물었다.

"나를 믿나?"

"네?"

"아니 나를 믿어야 한다."

"네?!!"

"꽉 잡아라"

나는 아이비를 그대로 안은 상태로 옥상에서 아래로 뛰어내렸다. 위에서는 비둘기 로봇이 아이비의 호버 보드를 들고 천천히 따라 오고 있었다.

"꺄아아아아악!!!! 아니 아저씨 지금 뭐 하는 거예요!!! 이거 속도 어떻게 하시려고 그냥 뛰어내리는 거예요?"

"그리고 무슨 계획을 할거라면 미리 말 좀 해달라니까 그게 그렇게 어려운 거예요?!!"

"메시지 하나만이라도 보내달라니까…!!!"

"좀 조용히 좀 해봐라!!"

나는 오른팔로 아이비를 들고 왼팔로 마천루의 벽에 손을 가져다 댔다. 건물 벽을 왼팔로 그대로 파 내려가며 나와 아이비가 떨어지는 속도를 늦추려 했다.

"그거 효과 있는 거 맞아요?"

"효과가 있으니까 하는 거 아니겠냐!!"

"아니 저는 그 효과를 모르겠으니까 하는 말이죠!!!"

그렇게 그 엄청난 높이의 마천루를 한꺼번에 내려가고 있다. 나는 프로그램으로 남은 높이를 확인했다.

[약 500m 후 지상입니다]

속도가 느려질 기미가 보이지 않는다.

"와 그 지금 상황에는 조금 이상한 말이기는 한데 여기서 보는 야경도 좋네요"

아이비가 갑자기 아래를 바라보면서 말했다.

"지금 야경에 감탄할 때냐…"

근데 이 높은 곳에서 바라본 울산의 야경은 아름답기는 했다. 형형색색의 네온사인과 불들로 빛의 도시의 모습이 보였다. 잠시만… 근데 모든 시민이 살해당했는데 저런 불빛들은 누가 킨 거지? 아래에서 무슨 일이 벌어지고 있다.

"근데 진짜 예쁘긴 해요"

아이비가 야경을 보다 나를 바라보며 말했다.

"아니…"

[약 300m 후 지상입니다]

프로그램에서 경보 신호가 울렸다.

[충돌에 대비하시길 바랍니다]

최대한 벽을 붙잡으며 버티려 노력했지만… 속도가 조금 느려지기만 했고 아직도 너무 빨랐다. 결국 어쩔 수 없다…

"아이비"

"네?"

"나를 잘 잡고 있어라"

"네? 갑자기요? 불안하게 무슨…"

"곧… 벽에서 이 손을 뗄 거다"

나는 아래를 한번 둘러보고 말했다.

"네?!! 그냥 떨어져서 죽자고요? 이 정도 속도면 다리로 착지하든 어디로 착지하든 착지할 때 닿았던 곳의 뼈가 부러져버릴 거예요!!!"

내 말에 아이비가 다급하게 말했다.

"그건… 나도 알아…!!!"

나는 왼손을 벽에서 떼고 바로 벽을 박차고 앞으로 나아갔다.

"아니 알면서 왜 그러는 건데요 왜!!?"

앞으로 나아가면서 바닥을 향해서 빠르게 떨어지기 시작했다.

"으아아아!!! 죽는다!!!!!"

"조용히 좀 하고 있어 봐!!!"

그렇게 우리는 매우 빠른 속도로 바닥으로 추락했다.

***

"…어…?"

"사…산 건가…?"

나는 바닥에 떨어질 때 왼팔로 먼저 떨어져 왼팔로 충격 전부 받았다. 일단 아이비는 무사한 듯했지만, 왼팔이 바닥에 떨어지며 생긴 충격이 온몸에 전해져 왔다.

"아… 아저씨 살아있어요…?"

아이비가 내 품 안에서 조심히 물었다.

"으…아… 그래 난 괜찮다… 너는?"

충격으로 인해 머리가 강하게 울려오긴 했지만, 일단은 괜찮다고 말했다.

"아… 저도 괜찮은 것 같아요…"

마천루에는 내가 떨어지면서 벽을 잡았던 흔적이 남았으며 옥상은 불바다가 되어 칠흑같이 어두운 연기가 퍼지고 있었다.

"그… 아이비"

"네?"

"슬슬 일어나라"

"아 네네네"

내 품 안에 아직도 안겨있던 아이비가 내 말에 일어났다. 나도 따라서 일어나려 했지만… 아직 떨어지면서 왼팔을 통해 받았던 충격이 몸에 강하게 남았는지 쉽게 몸을 일으켜 세울 수 없었다. 그러자 아이비가 옆으로 다가와서 나를 부축했다.

"아저씨 진짜 괜찮은 거 맞아요?"

"…"

나는 괜찮다고 말하려 했지만 목소리가 나오지 않았다. 그래… 떨어 지면서의 충격만 있는 것이 아닌… 아직 다트를 맞았을 때의 충격이 회복되지 않았던 거 같다. 그 상태에서 무리를 해버렸으니… 몸을 제대로 가눌 수가 없는 상태였다.

"아저씨… 좀 일단 쉬셔야 할 것 같네요"

"제 말은 들려요??"

루비가 옆에서 계속 물어봤다.

"… 난 괜찮아 일단 빨리 움직여야…"

나는 앞으로 한 발자국을 나아가자마자 다시 주저앉았다.

"이거 봐 이거 봐 아저씨 일단은 쉬어야겠어요"

"아니… 난…"

"뭐가 아니에요!! 지금 한 발자국도 제대로 못 내딛는데!! 걱정하는 사람 마음도 생각해야죠!!"

내 말을 끊고 루비가 발끈하면서 말했다.

"날 그렇게나 걱정한다고?"

"네? 네 당연한 소리 아니에요?"

"아까도 봤잖아요. 여기 이상하고 위험한 곳인걸…"

"부산에서는 아저씨가 그리 걱정 안 됐는데 집에서 좀 먼 곳에서 이런 위험한 상황에 놓이니까 진짜 미칠 것 같다구요!!"

아이비가 화를 내며 말했다.

"그나마 나를 지켜주는 게 아저씨인데 아저씨가 큰일 나면… 저도 끝장날 수 있는 상황에다가…"

"그래… 그래… 알겠다 알았어! 좀 진정해라"

"그럼 쉬는 거예요. 무조건! 5,000볼트짜리 다트를 3발이나 맞고서는 볼은 또 언제 다치셨데? 이거 그 레이저에 닿은 거죠?"

아이비가 쏘아붙이듯 말하기 시작했다.

"볼은… 별거 아니야 괜찮다"

"하… 주변에 좀 안전한 곳을 찾아볼게요"

"아 두부! 보드 이리 줘"

아이비는 호버 보드를 하늘에 띄운 뒤 나를 그 위에 앉혀놨다.

"여기서 기다려요!!"

아이비는 내 눈을 바라보며 당부했다. 그리고 아이비는 말을 마치고 나서 어디론가 걸어가기 시작했다.

"잠깐만 아이비 어디가!!"

"그냥 기다리고 있어요!!"

아이비는 자신의 비둘기 로봇과 모습을 감췄다.

"하아…"

위험한 큰일이 하나 지나가자 몸에 긴장이 풀리기 시작했다. 나는 잠시 보드의 위에서 가만히 하늘을 바라봤다. 부산에서부터… 너무 오랫동안 긴장 상태였다. 이제야 긴장이 풀리자 미뤄뒀던 피곤함이 몰려오기 시작했다. 그렇게 보드 위에서 조금씩 졸다가 잠시 눈을 붙였다…

…

얼마나 지났을까 나는 눈을 뜨고 주위를 둘러봤다. 아직 어두운 밤이었다.

[현재 시각 밤 0시 13분]

그때 저 멀리에서 아이비가 비둘기 로봇과 다가오고 있었다.

"아~저~씨~"

아이비는 팔을 흔들면서 웃으며 다가왔다.

"몸은 좀 어때요?"

몸의 감각이 좀 돌아온 듯했다.

"너… 대체 어딜 갔다 온 거냐?"

"헤헤… 제가 뭘 찾아왔는지 보면 놀랄걸요?"

"또 뭘 한 거야?"

"히히히히"

아이비는 내 말에 웃기만 했다.

"허?"

"그냥 그 보드 타고 저 따라와 봐요!!"

아이비는 말을 마치더니 어딘가로 걸어가기 시작했다.

"잠깐 아이비!!"

"히히힝!"

내 부름에도 아이비는 웃으면서 그냥 어딘가로 갈 뿐이었다. 나는 아이비의 호버 보드를 조종하면서 아이비에게 다가갔다. 하지만 이 호버 보드는 조종이 꽤 까다로웠다.

"잠깐…!!"

결국 나는 그냥 호버 보드에서 내리고 호버 보드를 든 뒤 아이비에게 뛰어갔다. 그렇게 아이비를 따라서 어디론가 이동하였고 도착한 곳은… 무슨 거대한 차고 같은 공간이었다. 아이비는 그 차고의 앞에서 팔짱을 끼고 웃고 있었다. 나는 아이비의 옆으로 다가가 물었다.

"이게 뭐지?"

"아저씨 보면 깜짝 놀랄걸요?"

"아니 대체 뭐길래 그러는 거냐고 대체…"

"좀만 기다려봐요~"

아이비는 자신의 해킹도구를 두드리기 시작했다.

"아 맞다 아이비 여기 네 보드다"

"아 고마워요"

나는 아이비에게 호버 보드를 건네고 아이비에게 물었다.

"여기는… 어떻게 찾아낸 거지?"

"후후후 아직 놀라긴 일러요. 이곳에서 강한 에너지 출력량이 감지된 거 있죠?"

"강한 에너지 출력량?"

"네네"

"그게… 왜…"

"그래서 저도 이상함을 느꼈죠. 그래서 이 차고를 열어봤는데!!"

아이비가 차고의 문을 열었다. 거대한 차고의 문이 서서히 열리기 시작한다. 그리고 그 안에서는… 무언가 거대한 자동차…? 로봇…? 뭔가 이상한 개조가 되어있는 기계의 모습이 보였다.

"짜잔~~!"

"이게… 도대체 뭐야?"

"이건 진짜 대박 중의 대박이라 할 수 있죠"

"그래서 이게 뭔데??"

"이건 말이죠…"

아이비는 또 어디선가 선글라스를 꺼내 쓰고서는 설명하기 시작했다.

"이건 아주 거대한 파쇄기로 추정되요!"

"파쇄기…?"

그러고 보니 거대한 차체의 앞에 이상한 것이 달려있긴 했다.

"저 거대한 트랙터같이 보이는 거의 앞에 설치된 약 15개의 전기톱이 보이죠?"

"저 거대한 파쇄기는 저걸로 앞에 있는 모든 것을 찢어버릴 거예요!"

"그리고 엔진을 검사해 봤을 때는 무려 60만 마력!! 이게 얼마나 미친 수치냐면 400년 전 그러니까 2017년에 만들어졌던 미국의 제럴드 R. 포드급 항공모함이 35만 마력이고 그 당시 최강 여객기였던 A380은 90만 마력이에요!"

아이비는 흥분해서 말을 빠르게 이어갔다.

"진짜 엄청나죠? 이건 어디에 어떻게 쓰려고 이렇게 정신이 나간 스팩으로 만든 걸까요???"

아이비는 자신의 해킹도구로 저 거대한 파쇄기를 분석하면서 말했다.

"저런 거에… 관심이 많나?"

"관심이요? 사랑하죠!!"

아이비가 신나서 말을 이어갔다.

"저는 컴퓨터 말고도 저런 엔진들과 여러 가지 자동차 기계 다 얼마나 관심이 많은데요!!"

"… 그렇군"

"어쨌든 저 거대한 파쇄기… 엄청나지 않아요?"

"엄청나긴 하다만… 저걸… 뭐 어떡하라는 거지?"

"네?"

"그래 저 파쇄기의 스팩이 심상치 않은 건 사실이다. 하지만 그래서?"

"저걸… 좀 더 면밀하게 조사해 보면 어떨까요?"

아이비가 선글라스를 벗고 눈을 반짝이며 나를 바라봤다.

"그 눈빛을 보내와도 이번엔 절대로 안 된다 저걸 조사해봤자 우리와는 별로 상관없잖아"

"그냥 우리는 두고 간다."

"아… 아…"

아이비가 아쉬운 듯한 눈빛으로 파쇄기를 바라봤다. 그러다 뭔가를 떠올린 듯 웃으며 내게 말을 걸어왔다.

"이말 들으면 아저씨도 저 파쇄기를 조사하고 싶어질걸요?"

"뭐?"

아이비가 자신의 해킹 장치를 홀로그램으로 공중에 띄웠다. 울산시의 지도였다.

"이 파쇄기에 더 이상한 점이 있어요"

"제가 이 파쇄기를 비정상적인 에너지 출력량을 감지해서 찾아냈다고 했잖아요?"

"그랬었지"

"저 거대한 차체에 저 수많은 톱도 돌려대려면 엄청난 에너지가 필요했겠죠"

"그럼 그 업청난 에너지는 어디서 공급받는 걸까요?"

"음… 어디서 공급된 거지?"

"정답은 매우 가까운 곳에 있어요"

"뭐냐"

"맞춰봐요~"

아이비가 장난스러운 말투로 말했다.

"아이비"

"칫 네 알겠어요"

아이비가 마천루의 꼭대기를 손가락으로 가리켰다.

"저희가 저 높은 마천루에서 내려오면서 봤던 거기에 힌트가 있어요"

"마천루에서 내려오면서 봤던 거?"

"네네!"

"음… 딱히 감이 안 오는데"

"설마… 야경?"

"네! 맞아요! 제가 내려가면서 야경이 예쁘다 했잖아요. 그런데 그 야경엔 이상한 점이 있었죠"

"울산 시민들은 전부 몰살당했는데 그렇게 많은 건물의 불들은 누가 어떻게 왜 켰을까요?"

"그건… 그렇지 확실히 이상하다."

"그래서! 제가 아저씨가 회복하고 있을 때 저는 그 이상한 점을 조사해 보기 위해서 직접 가봤던 거였어요"

"그런데 거기에서 더 이상한점을 알아내게 됐지요~"

"바로 불이 켜진 모든 건물의 에너지는 모두 한 방향을 향하고 있다는 거죠!"

"그래서 그 모든 에너지가 향하는 방향을 향해서 제가 따라가 봤어요!"

"그곳에서 매우 강한 에너지 출력량을 감지하게 되었고 이 파쇄기를 찾게 된 거죠"

"그렇다면 네 말은… 저 건물들의 모든 불이 이 파쇄기를 위한 것이었다고?"

"그쵸 바로 그거에요! 모든 건물의 에너지를 이 파쇄기에 공급하고 있었던 거예요!"

"그런 건가… 울산의 거의 모든 건물에서 에너지를 끌어와 이 파쇄기 하나를 충전시키고 있는 거군"

"네 맞아요. 정확해요"

"어때요. 이제는 조금 조사하고 싶어지지 않아요?"

"확실히 이상하긴 하군… 이 파쇄기를 만든 용도라거나 갑자기 에너지를 충전하기 시작하다니…"

"이제… 조사 좀 해볼까요?"

아이비가 내 옆에서 해킹도구를 흔들면서 물어봤다. 확실히… 조사가 필요해 보이기는 한다.

"그래 한번 해봐라"

"앗싸! 좋~았어 그럼 조사 시작해볼게요?"

"그래"

내가 조사를 허락하자 아이비는 바로 저 파쇄기로 달려갔다. 울산이라는 도시… 정말로 이상해졌군. 모든 건물의 에너지가 이 파쇄기를 향한다는 건… 이미 도시의 설계를 처음부터 그렇게 진행했던 거야 처음부터 저 파쇄기에 에너지를 공급할 수 있도록… 우선… 이 도시의 비밀을 알아내는 것부터 진행해야겠군…

***

아이비는 차고 안으로 들어가 그 거대한 파쇄기의 위에 올라타서 더 자세히 분석하기 시작했다. 파쇄기 위를 이리저리 돌아다니면서 자신의 해킹도구로 찍어보기도 하고 별의별 방법으로 다 조사했다. 일단 아이비는 저렇게 분석하게 놔두고…

나는 잠시 주변을 둘러보았다. 그렇게 약 30분이 넘도록 조사를 진행하고 있는 아이비를 기다렸다. 주변에서는 울산 조직의 보스는 보이지 않으니 이제는 딸의 정보를 찾아야 한다. 나는 아직도 그 기계 위에서 내려올 생각이 없어 보이는 아이비를 불렀다.

"아이비"

아이비가 파쇄기를 둘러보다 나를 바라봤다.

"이제… 내 딸에 대한 정보가 어딨는지 조사하러 갈 수 있겠나?"

"네? 벌써요?"

"그래 울산 조직의 본거지로 추정되는 건물은 아예 불타버렸고 보스는 여기 와서 아예 관련된 흔적 하나도 찾지 못했다"

"그럼 이제 우리가 울산에 온 또 다른 목적인… 아니 아니지"

"울산에 온 원래 목적이었던 내 딸에 대한 정보를 찾으러 가야 하지 않겠나?"

"아… 그렇죠…?"

아이비가 무언가 아쉬운 듯 대답하고서는 그 파쇄기의 위에서 한 번에 뛰어내렸다.

"앗"

그러고서는 바닥에 착지하면서 잠시 휘청거렸다.

"조심해라 그러다 발목을 다쳐서 움직이지 못하게 되면 곤란하다"

"아… 네네~ 알겠어요"

아이비가 해킹도구에서 지도를 띄웠다.

"그럼 저 따라오세요. 그… 저 어디냐…"

아이비가 말하려던 그때 울산시의 모든 불이 갑작스럽게 암전되었다. 울산에 완전한 어둠이 깔렸다.

"ㅁ…뭐죠…?"

아이비가 떨리는 목소리로 주위를 둘러보며 말했다.

"모르겠다. 네가 뭐 건드린 거 아니냐?"

"네? 아니요? 저는 저거 파쇄기만 건드렸는데?"

아이비가 차고 안에 있는 파쇄기를 가리켰다. 그러자 파쇄기에서 시끄러운 엔진음이 들리기 시작했다.

"어…."

그리고 얼마 안 지나자 파쇄기의 불도 켜졌다.

"저거 네가 킨 거야?"

"아니요? 저는 뭐 시동이 걸릴만한 행동을 한 건 딱히 없는데…"

"아니 그렇게 보지 마세요. 진짜인데…!! 저 안 켰어요!!!"

그리고 이젠 파쇄기의 앞에 있는 거대한 전기톱들이 움직이기 시작했다.

"네놈들이지…? 그 부산을 박살 낸 게"

"…?"

파쇄기의 안에서 스피커를 통해서 목소리가 들려왔다.

"설마…"

아이비가 내게 귓속말을 했다.

"아저씨… 설마 저 안에 있는 사람이… 이 울산의…"

"그래 그런 것 같군. 아이비 바로 전투 준비한다."

"너는 보드를 타고 내게서 최대한 멀어져라"

"네…? 잘못 들은 거죠? 아니 저 거대한 파쇄기랑 싸우겠다고요?"

내 말에 아이비가 목소리를 높이며 말했다.

"저 톱날들이 안 보여요? 살짝만 닿아도 무자비하게 갈려 나갈 거예요…!!!"

"넌 아까까지 저걸 계속 분석했잖나 저 파쇄기의 약점 같은 부분을 내게 보내 난 저 녀석을 죽인다."

"진심이에요…? 도망치는 게 더 싸게 먹힐 거 같은데"

"아이비"

나는 아이비이 이름을 낮게 부르면서 아이비를 바라봤다

"아 진짜!"

"휴… 알겠어요. 저 정면의 톱은 어떻게 해서라도 무조건 피해야 해요!!!"

아이비는 호버 보드를 띄워 높이 날아올랐다.

"네놈들이 우리 정보망을 건든 거지…?"

파쇄기에서 다시 스피커를 통한 목소리가 들렸다.

"지금 누구를 건드렸는지 아냐?"

"니들 때문에 저 빌딩도 불타버렸어! 저 빌딩 짓는 데 얼마가 들어갔는지는 알고 있는 거냐? 혹시나 해서 넣어놨던 기능을 발동시키다니…"

"어떻게 해서든 꼭… 갈아버려 주마"

"네놈이 울산 조직의 보스가 맞겠지…?"

"뭐 날 알고 있어? 알면서 지금 이 난리를 피운 거냐?"

"널 노리고 왔으니까"

"뭐라고…?"

"내 딸에 대해 아는 것이 있나?"

"뭐라는 거야 미X놈이!!"

거대한 파쇄기가 정면으로 돌진해온다. 뒤에 있던 높은 건물의 벽을 타고 옥상으로 올랐다. 파쇄기는 돌진하는 방향 그대로 건물을 뚫고 뒤로 이동했다. 파쇄기가 건물의 1층을 그대로 쓸고 지나갔다. 아래가 쓸려버린 건물은 그대로 붕괴해 버렸다. 나는 무너지는 건물에서 옆 건물의 옥상으로 넘어갔다.

"아이비 저 파쇄기의 약점을 빨리 보내라!!!"

나는 하늘에 떠 있는 아이비에게 다급하게 외쳤다. 아이비는 위에서 해킹도구를 열심히 건드는 중이었다.

"잠깐만 기다려봐요!!! 지금 노력하고 있으니까!!"

"아니 지금 노력하고 있는 거면 아까 30분 동안 대체 뭘 하고 있었던 거야!!!"

"저게 울산 조직거라 이렇게 공격해 올 줄은 상상도 못 했죠!!!"

"하… 어쨌든 최대한 빨리 알아내라!!"

나는 아이비와의 연락을 끊은 후 파쇄기의 위치를 알아내려 했다. 하지만 파쇄기는 어느새 내가 옥상에 있는 건물의 1층을 갈아버리려 다가오는 중이었다. 그렇게 이번에도 1층이 무너지자 건물은 그대로 무너졌다.

내가 또 옆 건물로 넘어가자 그 파쇄기는 내가 넘어가는 건물을 그대로 무너뜨리면서 압박했다. 이렇게 계속하면… 도망만 다니게 된다. 무슨 수를 빨리 알아내야 하는데… 또 한 번 내가 올라간 건물이 무너졌다. 나는 이번엔 다음 건물로 넘어가지 않고 파쇄기의 위로 낙하했다.

"아저씨?!"

내가 낙하하자 위에서 아이비가 소리쳤다. 우선 나는 파쇄기에 올라탔다.

"너 이 새X!!"

이 녀석은 어디에 탑승하고 있는 거지…? 아무리 파쇄기의 위에서 파쇄기를 둘러봐도 탑승할 수 있는 입구라고 보일만 한 것은 보이지 않았다. 나는 파쇄기의 앞에 있는 15개의 전기톱을 바라봤다.

잠깐만… 저 톱들… 하지만 이 파쇄기는 내게 생각할 틈을 주지 않고 바로 앞에 있는 건물을 들이받았다. 파쇄기가 부딪치면서 나도 건물에 부딪혀 파쇄기에서 떨어졌다. 그러자 파쇄기가 바로 뒤를 돌아봤다. 인제 보니 저 파쇄기 바퀴가 무한궤도 바퀴에 위에 톱이 달린 부분은 360도로 회전할 수 있었다.

그것을 알아채고 얼마 안 지나서 아이비에게서 메시지가 날아왔다.

[아저씨! 저 전차는 위에 톱이 달린 부분이…]

[안다]

[네?]

[알고 있다고!!!]

[네? 어떻게 알고 있어요…?]

[눈으로 봤으니까!!]

[아

나는 아이비의 메시지를 일단 꺼두고 파쇄기에서 다시 도주하기 시작했다. 파쇄기는 거대한 덩치와는 다르게 빠른 속도로 나를 추격해 왔다. 건물들의 골목골목으로 피해 다녀도 파쇄기는 모든 건물을 그냥 쓸어버리고 올 뿐이었다. 그때 아이비에게서 다시 메시지가 날아왔다.

[아저씨!]

[왜 빨리 보내라 지금 상황이 그리 좋지 않아]

[그게 제가 작전 하나를 생각해 봤어요!]

[뭐지?]

[저희 아까 마지막에 혼자서 비활성화됐었던 EMP 장치 기억나요?]

[그게 뭐?]

[그걸 가동할 거예요!]

[뭐?!]

[EMP를 이용해서 저 파쇄기를 멈추는 거죠!]

[하지만… EMP 장치 하나만으로는 작동을 멈추기는 힘들 텐데?]

[2개였을 때도 네 호버 보드와 내 검과 왼팔은 정상 작동하지 않았었나?]

[그렇죠. 그래서 그 EMP 장치의 힘을 극대화할 거예요!!"]

[뭐? 그게 된다고?]

[음… 출력을 최대치 이상으로 끌어올리는 거예요! 그럼 그 EMP 장치에도 결국 과부하가 걸려 폭주할 거예요]

[폭주하면 저 거대한 파쇄기를 멈추게 하는 게 가능할 거예요!]

[그렇다면… 나는…?]

[아 맞다 아저씨…]

아이비는 나를 생각하지 않고 파쇄기를 멈출 방법만 생각한 듯했다. 아이비가 몇 분간 아무런 문자를 보내지 않다가 다시 메시지를 보내왔다.

[쓥… 그럼 다른 방법을 더 찾아보도록…]

[아니 그 작전으로 진행한다]

[…네?]

[아무리 강한 EMP라도 몇 초 정도는 견딜 수 있을 거야 파쇄기를 멈추면 내가 알아서 저 파쇄기를 파괴해보마]

[진짜 가능하다고요…?]

[폭주하면 한동안 저도 아저씨를 도와줄 수가 없어요. 프로그램

도 작동 안 할 테고…]

[그래, 괜찮아 내가 처리하면 나만 데리러 와라]

[네? 어떻게…]

[그건 그때 생각하고 일단 과부하를 준비해라]

[아 네 네? 네!! EMP 장치 위치를 보낼게요!]

아이비가 지도에 EMP 장치를 표시했다. 나는 표시된 구역을 향해 파쇄기를 유도하기 시작했다. 아이비가 메시지를 보내왔다.

[저는 좀 떨어져서 EMP 장치를 조작할게요. 아저씨… 행운을 빌어요!!]

위에서 따라오던 아이비는 다른 곳으로 이동했다. 파쇄기는 나를 따라오면서 앞에 있는 모든 장애물을 갈아버리면서 다가왔다. 다리가 점점 내 다리가 아닌 듯 감각이 이상해져 왔다. 마천루를 수십 층을 뛰어오르고 60만 마력의 미친 힘을 가진 파쇄기보다 더 빠르게 달리고 있다. 점점 진짜 지치기 시작했다. 이제 EMP 장치와의 거리 약 600m

[아저씨!! EMP 장치 폭주 범위 안에 들어왔어요!!]

[근데 그 범위 정확한 거 맞나?]

[제가 방금 약 30번의 여러 시뮬레이션을 돌렸는데 지금 거리라면 그 모든 시뮬레이션에서 나타났던 범위 안에 들어가요!]

[그래… 그럼 폭주시켜라]

[3초 셀게요. 바로 준비해요!]

[3]

[2]

[1!!!]

아이비의 카운트다운이 끝남과 동시에 눈앞의 프로그램이 바로 먹통이 되었다. 나는 바로 뒤에서 따라오고 있던 파쇄기를 확인해 봤다. 파쇄기와 파쇄기 앞에 달려있던 전기톱들은 완전히 움직임을 멈췄다.

"이… 이게 무슨…?"

"EMP 장치를 사용했다고?"

나는 나도 정신을 잃기 전에 파쇄기의 위로 올라탔다.

"ㄴ… 너!!!!"

나는 파쇄기의 위에서 파쇄기의 앞에 있는 거대한 전기톱 하나를 뜯어버렸다. 그리고 그 전기톱을 톱처럼 사용하여 파쇄기를 절반으로 갈라버렸다. 파쇄기를 반으로 갈라버리자 안에 탑승하고 있는 울산 조직의 보스를 발견할 수 있었다. 나는 파쇄기의 잔해 안에 타고 있는 녀석의 목을 왼팔로 잡고서는 들어 올렸다.

"크허억… 너… 이 X끼… 정체가 대체 뭐야…"

그 녀석은 필사적으로 내 팔을 떼어내려 했지만 난 더 강하게 목을 잡았다.

"내 딸에 대해서는 모른다 했었지"

나는 바로 정신을 잃을 뻔하였으나 정신력으로 버티며 물었다.

"그…래 그렇다…"

나는 모른다는 대답을 듣자마자 그 녀석을 하늘로 던진 후 등에서 검을 뽑아 몸을 반으로 갈랐다. 그리고 나도 얼마 안 지나 바로 그 자리에서 정신을 잃어버렸다.

***

"하아…후우… 하아…"

"진짜… 진짜…!!!"

"진짜 미치겠네!!!!!"

***

"…"

"아저씨…."

기절하고서는 얼마나 많이 지났을까. 눈을 뜨자 눈앞이 뿌옇게 보인다. 귀가 조금씩 들리기 시작했을 때쯤 그 뿌옇던 빛이 어느 정도 사람의 형상을 갖췄다. 그러면서 눈으로는 쨍한 빛도 밀려

들어오기 시작했다. 그리고 흐릿했던 사람의 형체가 점점 더 또렷해졌다. 그것은… 아이비였다.

"아저씨~~"

"아니 도대체 기절을 몇 번을 하는 거예요. 오늘? 아니 어제까지 합치면 얼마나 기절하는… 하…"

"날이… 밝은 건가…?"

나는 몸을 일으키며 말했다.

"어어 일어날 생각하지 마요 그대로 앉아있으세요"

"그때 기절하시고 날이 밝을 때까지 기절해 계셨어요"

"… 그런가"

"그러니까 제가 다른 작전 생각해본다고 했잖아요. 어제랑 오늘 합쳐서 기절을 얼마나 하는 거예요?"

아이비가 불만 섞인 목소리로 투덜거렸다.

"보스는… 내가 확실히 처리 했겠지…?"

"아 네 제가 아저씨 데리려고 그곳에 가봤는데 몸이… 반으로 잘려있던데…"

"그래… 다행이군…"

"제가 아저씨 거기서 빼내오느라 얼마나 고생했는지 알아요?"

"보드도 작동 안되어서 직접 발로 뛰어서 아저씨 업고서는 거기를 빠져나왔는데 얼마나 힘들었는지 알아요?"

"고생했다"

나는 일어섰다. 그러자 아이비가 다시 나를 앉히려 했다.

"에헤이 앉아있으라니까요? 아저씨 지금 다리에 무리가 엄청나게 갔을 텐데"

"그리고 저도 좀 힘들고요…"

"여기서 좀만 쉬다 가죠"

"여긴 어딘데?"

"그냥 근처의 아무 건물에 들어온 거예요"

"그렇군"

"그렇다면 일단 조금 쉬도록 하지 그리고 있다가 네가 찾은 정보가 있는 곳으로 안내해라"

"어? 진짜요?"

아이비가 놀란 눈으로 날 바라봤다.

"그렇게까지 놀랄 일이냐?"

내 말에 아이비가 내 흉내를 내면서 말했다.

"아니 시간이 없다 우린 가야 해"

"이러실 줄 알았는데 헤헤"

"성대모사는 안 하는 게 좋을 것 같군"

"왜요? 너무 똑"

"아니 하나도 똑같지 않다"

"헹…"

"저는 그럼 잠시 주변에서 먹을 거 좀 없나 찾아보고 올게요~~"

아이비는 그렇게 방을 빠져나갔다. 나는 벽에 기대앉아서 눈을 감고서는 어제의 일들을 생각했다. 참… 많은 일이 있었던 거 같다… 그때 어제 들었던 말이 생각났다.

'광주에서 무슨 일이 있는지 몰라?'

어제 그 공사장에서 봤던 놈들… 광주에서 지금 무슨 일이 벌어지고 있는 것은 확실하다. 마침 다음 목적지도 광주니… 아이비에게 조사를 우선 조사를 맡겨볼까.

"광주"

나는 작게 혼잣말을 했다.

"광주요? 웬 광주?"

그때 아이비가 방으로 무언가를 잔뜩 들고 왔다.

"아 언제 온 거지?… 뭘 그리 많이 가져온 거냐"

"근처에 운이 좋게도 슈퍼마켓이 있더라고요. 좀 먹을 거 좀 가져왔죠"

"부산 떠나고 약 2일인가? 지났는데 아무것도 못 먹었잖아요"

그런가 벌써 2일이나…

"아저씨도 뭐 좀 먹을래요?"

아이비가 내게 빵과 우유를 건넸다.

"아니 지금은 별로 생각이 없다."

"아 그런가요…"

아이비는 그 빵을 자기가 뜯어서 먹기 시작했다.

"근데 아저씨 아까 광주는 왜 말한 거예요? 다음 목적지가 광주긴 한데"

"혹시 너는 알고 있나?"

"뭐를요?"

"광주에서 지금 무슨 일이 벌어지고 있는지"

"에? 무슨 일 있어요. 거기에?"

"잘 모르겠다 첫 번째 EMP 장치를 비활성화하러 갔을 때 만났었던 갱단원들이 있었다"

"그 녀석들에게 사람들을 죽인 이유를 물었더니 광주에서 무슨 일이 벌어지고 있는지 모르냐고 하더군"

"아 그래요? 흠…"

"혹시 광주에서 지금 무슨 일이 있는 건지 조사해줄 수 있나?"

"어차피 가게 될 곳인데… 근데 뭐 미리 조사해서 나쁜 것도 없죠. 알겠어요"

"그리고 생각해봤는데 내 딸의 정보가 발견된 곳… 내가 먼저 가서 조사해 보고 있겠다."

"너는 조사 끝나고 따라와라"

"네?"

"아… 네 알겠어요. 아저씨한테는 그게 제일 중요하니까…"

"위치 보낼게요. 전 조사 끝나고 따라갈게요"

"정보는 어떤 형태로 돼 있지? 뭐 물건이라던가 뭐가 있는 건가?"

"그냥 가면 딱 느낌이 오는 게 있을 거예요"

"뭐?"

"진짜루! 그렇게밖에 설명 못 하겠어요"

"아… 지금 내가 장난하는 거로 보이나?"

"아저씨는 제가 장난하는 거로 보여요?

아이비는 정색하며 대답했다. 아이비가 이렇게 정색하는 것을 보면… 진지한게 맞는 것 같았다.

"… 알겠다 빨리 위치나 보내봐라"

"네"

아이비에게서 다시 메시지가 왔다. 일산 해수욕장…?

"이런 해수욕장에 진짜 정말 내 딸의 정보가 있다고…?"

"네 있어요. 있다고 나와 있어요"

"아니… 진짜라고? 이런 특별할 게 없어 보이는 해수욕장이…"

"아 진짜라니까요? 못 믿으시면 어쩔 수 없죠. 여기에서 아저씨의 딸과 관련된 정보는 거기에서밖에 나타나지 않아요"

"제가 드릴 수 있는 건 이게 다예요"

말을 마친 아이비는 다시 광주의 상황을 확인하기 위해 해킹도구를 조작하고 있었다. 이런 평범한 해수욕장에 내 딸의 정보가 있다니… 하지만 지금은 뭐라도 해보는 수밖에 없다. 조금… 의심되었지만 일단 나는 아이비가 알려줬던 일산 해수욕장으로 향했다.

…

높은 건물들이 둘러싸인 도시 약 이틀 동안 쉬지 않고 계속해서 싸우다 이런 고요한 해수욕장에 오니… 답답하고 혼란스러웠던 마음이 비워지는 듯한 느낌이었다. 나는 한동안 햇빛을 반사하는 아름다운 바다를 넋 놓고 바라보고 있었다. 그러다 모래사장에 무언가를 발견하였다. 모래성…?

...

어느새 또 그 기억 속이었다. 귀에는 파도가 부서지는 소리밖에 들리지 않는다. 온 세상이⋯ 마치 흑백 필터가 씌워진 것처럼⋯ 그 어떠한 색도 찾아볼 수 없었다. 그때 저 멀리 있는 모래사장에서 딸이 어딘가로 달려갔다.

"아빠 아빠!! 여기봐봐 여기!!!"

"응? 무슨 일인데그래?"

딸이 달려간 곳에는 과거의 내 모습도 함께 보였다.

"빨리 와바바 빨리!!"

딸이 과거의 나의 손을 잡고 어디론가 끌고 간다.

"그래그래 가자 가보자"

과거의 나는 그 애를 따라서 같이 달려갔다. 나는 그 둘을 조용히 그리고 천천히 따라 걸어갔다. 그렇게 따라가 도착한 곳에는 아주 잘 지어지고 멋진 모래성이 있었다.

"짜잔!!!"

딸이 자랑스럽게 모래성을 보여주었다.

"와~ 잘 만들었는데? 우리 딸이 만든 거야?"

"응!! 내가 직접 만들었어! 나중에 내가 더 크면 아빠랑 같이 살 성을 만든 거야!!"

"정말? 진짜 잘 만들었다."

"헤헤 아빠가 봐도 잘 만들었지? 그렇지??"

나는 아무 말 없이 그 둘이 대화하는 모습을 바라봤다. 그렇게 바라보고 있다 보니⋯ 나도 모르게 입에 미소가 지어졌다. 그때 바다에서 파도가 갑자기 강하게 오더니, 모래성을 휩쓸어 무너뜨려 버렸다.

"어?!?! 아 안 되는데!!!"

모래성이 그대로 무너져버리자 딸은 울먹거리기 시작했다. 과거의 나는 상당히 당황한 모습이었다.

"다시 모래성을 같이 만들어줘"

나는 과거의 내게 말했다.

"아… 그럼 아빠랑 같이 다시 만들어볼까?"

"ㅠㅠ…아빠랑…같이…?"

"그래그래 아빠랑 같이"

"음… 좋아!!! 아빠랑 하는 건 무엇이든 다 좋은걸!!!"

같이 만들자는 말을 들은 딸은 과거의 나를 바라보며 웃었다.

"그럼 아빠! 내가 시키는 대로 잘 만들어줘야 해!!"

그렇게 과거의 나와 딸은 모래성을 만들고 있었다. 나는 그 둘에게 천천히 다가갔다. 여전히 주변에는 넓은 모래사장과 바다. 그리고 과거의 나와 딸밖에 보이지 않았다. 나는 둘이서 만들고 있는 모래성의 앞으로 다가가 앉았다.

"아빠! 거기는 그렇게 쌓으면 무너질 거야!! 여기를 잘 보강해야 한다고!!"

"아… 아 그렇니? 그래 잠시만~"

조금 어설퍼도 어떻게든 딸을 기쁘게 해주려는 과거의 내 모습을 바라보고 있다 보니 나도 모르게 웃음이 났다. 이렇게… 편안했던 적이 얼마 만이던가… 나는 가능하다면 이 기억 속에서 평생 살고 싶다고 생각하게 됐다.

그렇게 얼마 안 지나 그 둘이 모래성을 드디어 완성했다. 방금보다 더 멋진 모래성이 만들어졌으며 앞에는 이제 파도를 막아줄 벽도 만들어져 있었다.

"자 다 됐다!! 완성이야!!!"

"아까보다 더 멋있어졌어!! 아빠! 고마워!! 히히"

"딸이 마음에 들면 되지~ 그럼 이제 엄마 기다리겠다. 엄마한테 갈까?"

"응 그러자!!"

딸과 과거의 나는 앉아있는 나를 지나서 뒤로 달려갔다. 나도 바닥에 앉아있다가 일어났다. 그리고 그 둘이 뛰어간 쪽을 바라보았으나… 고요했던 해수욕장은 사라지고 불바다가 펼쳐져 있었다. 그리고 그 중심에서 내가 어린 딸의 사진을 들고 바라보고 있었다.

　…

　….

내 몸 안에서 무언가 형용할 수 없는 분노가 치밀어 올랐다. 넓은 바다를 보며 비워졌던 마음은 분노로 가득 찼다. 나는 내 옷 속에서 딸의 사진을 꺼내 바라봤다.

"어떻게 해서든… 꼭 구해줄게…"

"아저씨!!! 이리 와봐요!!"

그때 아이비가 부르는 소리와 함께 이 기억에서 다시 현실로 돌아왔다. 나는 딸의 사진을 다시 옷 속에 넣어 놓고 아이비에게 다가갔다, 아이비는 자신의 해킹도구를 흔들고 있었다.

"… 그래 광주에서는 무슨 일이 있는지 알아냈나…?"

"네 광주는 지금 광주의 시민들이 직접 모여서 광주를 점령한 갱단과 싸우고 있데요"

"뭐?… 일반 시민들이?"

"네 사람이 모여서 광주의 갱단을 몰아내자고 하면서 싸우고 있다네요"

"울산 시민들을 다 죽인 이유가 광주 시민들을 보고 울산 시민들도 싸우려 들까 봐 다 죽여버린 거였군…"

"네… 아마 그렇겠죠… 일단 상황이 그리 좋은 편은 아니라 빨리 가야 할 것 같아요!"

"제가 차를 또 하나 구해 놨거든요? 그 차 타고 바로 출발해요!!"

말을 마친 아이비가 어디론가 달려가기 시작했다.

"잠깐…!! 아이비!!!"

나는 달려가는 아이비에게 딸의 정보에 관해 물어보려 했으나 아이비는 그냥 빠르게 어딘가로 달려갔다. 물어볼 게 많았지만… 일단 나중으로 미루고 나는 아이비를 따라가기 시작했다.

***

나는 뒤늦게 아이비를 따라갔지만, 아이비를 놓치고 말았다.

"아이비!!"

"하아…"

나는 결국 건물들 사이에 혼자 남게 되었다. 나는 프로그램을 열어 아이비에게 메시지를 보냈다.

[아이비 어디냐]

내가 메시지를 보내고 몇 분 정도가 지나자 아이비에게 메시지가 왔다.

[피해요!!!!]

[?]

그때 내 옆에 있던 골목에서 귀청이 떨어질 듯한 경적이 들려왔다.

"아!! 저!! 씨!!"

"아니!"

나는 순간적으로 반응하여 몸을 뒤로 피했다. 그 차는 내 앞에 그대로 멈춰 섰다.

"아이비!! 지금 뭐 하는 거냐!!"

"아 죄 죄송해요!! 다친 데 없죠?"

아이비가 창문을 열더니 당황한 목소리로 물었다.

"내가 몇 초만 늦었어도 다쳤겠지"

"아 진짜 죄송해요"

"네가 운전하지 말라 했을 텐데?"

"아 진짜 저 할 수 있어요"

"방금 걸 보고도 너를 믿으라고? 진심이냐…?"

"아저씨는 졸음운전 하시고는 하실 말이에요?"

"뭐?"

"조금 운전을 못 하는 게 졸음운전 하는 거보다는 안전할걸요"

"뭔…"

"솔직히 맞는 말 아니에요?"

"그러지 말고~ 저 한 번만 믿어봐요. 네~?"

내가 그냥 운전석을 열려하자 아이비가 그대로 문을 잠가버렸다.

"어어 안 돼요"

"아이비"

"아니!! 그래도 이번엔 제가 운전할 거예요"

"또 졸음운전 해서 사고 나면 이번에 저 진짜 죽을지도 몰라요!!"

"저 한 번만 믿어봐요. 진짜 그래도 운전면허 있는 사람이라고요 저"

아이비가 조수석의 문을 열어줬다.

"아~~ 빨리 타봐요. 제가 광주까지 잘~ 모시겠습니다. 히히히"

"…하"

나는 아이비에 고집에 그냥 조수석에 탔다.

"좋아요 제 운전실력을 보여드릴게요!"

"너를 만나고 나서 의심스러웠던 순간은 많았지만, 지금만큼 의심되는 순간은 없었다."

"에이 믿어봐요!!"

"잠깐 너 17살이잖냐"

"그런데요?"

"근데 운전면허를 땄다고?"

"네"

"운전면허는 18세 이상일 텐데?"

"…아!"

148

아이비가 잠시 당황한 듯 조용히 있었다.

"그… 조금 나이를 이제… 좀 예 무슨 말 하려는지 알죠?"

"조작했군"

아이비는 내게 멋쩍게 웃어 보였다.

"그래도! 일단 운전면허를 땄다는 게 중요한 거니까~ 나이가 안 돼도 실력은 된다는 거잖아요? 헿"

"자 자! 그럼 이제 출발할까요? 광주로?"

"아니… 그래"

그렇게 불안 불안하게 우리는 광주로 향하기 시작했다. 그래도 운전을 맡기니 여유가 좀 생긴 거 같…

쾅!!!

출발한 지 10분도 안 지나 울산을 벗어나지도 못한 상황에서 첫 번째 사고가 일어났다. 길가의 가로등에 부딪혔다.

"…"

"아이비"

아이비는 당황한 모습으로 자동차의 엑셀을 바라보고 있었다.

"아하하… 그 브레이크랑 조금 헷갈렸네요. 이런 실수는 누구나 한 번쯤은 할 수 있잖아요?"

"아… 저게 저거였지 그래 이게 저거고…"

아이비는 엑셀을 바라보며 중얼거리더니 다시 핸들을 잡았다.

"아이비 한 번 더 사고가 난다면 그때는 내가…"

"갑니다~~!!"

아이비가 다시 액셀을 밟기 시작했다. 나는… 원래 안 하고 있던 안전띠를 착용했다.

그 뒤로는 생각보다 순조롭게 잘 갔다. 우리는 울산을 벗어나 광주로 가는 고속도로로 향했다. 그렇게 고속도로에 진입했을 터였다. 고속도로에는 아무도 없었다.

"여기서 차로가면 3시간 정도 걸려요"

"이번 고속도로에서는 좀 조용히 지나갔으면 좋겠네요"

아이비가 운전 중 갑자기 말했다.

"그런 말 하면 꼭 일하나 터지지 않나?"

"에이 설마요 ㅋㅋ"

"그런 클리셰는 영화 같은 데서나…"

"잠깐 옆에 무언가 붙었다"

언제부터였는지는 모르겠으나 어느새 양옆에 오토바이 4대가 우리 차의 속도를 맞춰 달리고 있었다. 뒤를 확인해 보자 뒤에서도 오토바이 약 6대가 따라붙고 있었다.

"설마요… 그냥 오토바이 동호회 그런 거 아닐까요?"

"너… 계속 일부로 그러는 거지"

"아, 그런 거 다 깍!?"

그때 양옆에 달리던 오토바이 4명이 총을 쏘기 시작했다. 일반 권총인가… 나는 우선 아이비의 머리를 바로 낮추고 내가 핸들을 잡았다. 그리고 바로 오른쪽으로 꺾어 오른쪽에 붙은 오토바이들에 부딪혔다.

앞에서 달리는 오토바이는 차에 부딪히자 넘어지며 뒤에서 같이 있던 오토바이와 부딪혀 뒤로 사라졌다. 그렇게 오른쪽의 오토바이들은 정리가 끝났다.

이제 왼쪽의 오토바이와 뒤에 있는 오토바이를 합쳐 남은 수는 8명 왼쪽의 오토바이들은 여전히 권총을 쏟아부었다.

"아이비 이대로 몸을 낮추고 계속 앞으로 운전해!!"

"네 네!?"

"몸 낮추고 운전하라고!!!"

"아 네!!!"

난 내가 타고 있던 조수석의 문을 뜯고 차의 천장으로 올라갔다. 왼쪽의 오토바이들이 차를 쏘다가 나를 향해 총을 쏘기 시작했다. 나는 뜯었던 조수석의 문으로 총알을 막다가 왼쪽의 오토바이의 바퀴를 향해서 차 문을 던졌다. 그 문은 오토바이의 균형을 무너뜨리는 데 성공했다.

균형이 무너진 오토바이는 넘어졌고 뒤에 있던 오토바이까지 휘말려버리며 왼쪽의 오토바이들은 전부 사라졌다. 이제 뒤에 있는 오토바이 6대만 남았다. 뒤에 있던 오토바이들은 속도를 높이더니 나와 아이비가 있는 차를 앞질러 앞으로 갔다. 이후 다시 놈들은 권총을 꺼냈다. 그리고 녀석들은 아이비가 운전하고 있는 차의 바퀴를 터뜨리기 시작했다.

"으아아아!! 바퀴가 터졌어요!!!"

"아이비!! 정신 차리고 방향 잘 잡아라. 그리고 앞에서 날아오는 오토바이 잘 피해야 한다!!"

"네⋯ 네? 오토바이를 피하라고요?"

나는 허리에서 권총을 꺼낸 후 맨 앞에 달리는 오토바이의 바퀴를 맞췄다. 그러자 오토바이는 균형을 잃고 그대로 넘어져 버렸다.

"와아악!!!"

아이비는 쓰러져서 날아오는 오토바이를 간신히 피해냈다. 나는 권총으로 또 다른 오토바이의 바퀴를 맞췄다. 그러자 그 오토바이 역시 균형을 잃고 그대로 넘어졌고 그 넘어진 오토바이에 부딪힌 다른 오토바이 3대로 그대로 넘어졌다.

"와아아!!! 이건 너무 많이 날아오잖아요!!!"

아이비는 3개는 잘 피해냈지만, 마지막 오토바이 하나에 부딪혔다. 차는 부딪히면서 그대로 돌기 시작했다.

"아이비!! 방향 잡아!!!"

"노력하고 있어요!!!"

아이비가 차의 방향을 잡을 때까지는 나는 차 위에서 어떻게든 버티려 하였다. 그때 균형을 잡는 것을 방해하기 위해 오토바이 한 대가 차의 옆으로 붙었다.

"으악!! 뭐야!!"

그때 그 오토바이는 차에 부딪히면서 권총으로 아이비를 노리려 하였다.

"아이비!!"

나는 등에서 검을 뽑은 후 오토바이를 운전하고 있는 녀석에게 던졌다. 검은 그대로 그 운전자에게 꽂혔고 오토바이에서 떨어져 바닥에 굴렀다.

나는 차 위에서 녀석이 운전하던 오토바이로 올라탔다. 이후 떨어진 녀석에게 다가가 검을 회수한 후 앞에 있는 마지막 오토바이를 따라잡기 위해 속도를 높였다.

앞에 있는 오토바이는 나를 제지하기 위해 총을 쏴대기 시작했다. 나는 녀석이 총을 쏘기 전 총구의 위치를 보고 바로 핸들을 돌려 피했다. 그리고 녀석이 장전하는 틈을 타 다시 권총을 꺼낸 후 이번에는 내가 녀석에게 총을 쐈다.

녀석은 장전 중이라 반응을 못 했는지 그대로 총을 맞고 오토바이에서 떨어졌다. 나는 내가 타고 있는 오토바이가 앞에서 날아오는 오토바이에 휘말리기 전에 오토바이에서 뛰어내려 도로에 착지했다. 뒤에서는 아이비가 차를 끌고 다가오고 있었다. 나는 도로에서 달리다가 아이비가 왔을 때 맞춰서 문이 뜯긴 조수석에 그대로 탑승했다.

"와… 아저씨 반사신경 장난 아니네요. 총을 피해요??"

"후우… 운전에나 집중해라"

"네네~"

"근데 아이비 내가 아까 봤지만, 저 녀석들… 울산으로 가는 고속도로에서 봤던 녀석들과 같은 곳에서 보낸 녀석들 같았다"

"저 녀석들과 뭔가 있는 거냐?"

"네?? 전 쟤네가 누군지 모르겠는데요…"

"그런가… 그래도 한번 생각해봐라. 네가 중요한 정보를 털었던 곳이라거나…"

"그런 곳이 한두 곳일까요?"

"…"

"뭐 지금은 그게 중요한 게 아니잖아요~~ 이제 좀만 더 가면 도착이에요"

이제 광주까지 남은 시간은 1시간도 안 남았다. 진짜 곧 도착한다.

…

약 20분 정도 더 달리자 저 멀리 광주의 모습이 보이기 시작한다.

"상황이… 많이 심각해 보이는군"

광주는 멀리서 봐도 굉장히 심각해 보였다. 하늘에는 검은 연기가 피어오르고 있으며 총성이 끊임없이 들리고 있었다.

"와… 저긴 아예 전쟁터네요. 진짜로"

"울산 조직이 모두를 죽일만했군"

"항전하는 시민들에 대한 정보는 없나?"

"네 잘 알려진 게 없네요"

"여기서도 쉽지는 않겠군…"

그렇게 우리는 광주로 진입했다. 광주에 진입하자 광주의 심각함이 더욱더 느껴졌다. 길거리는 불타고 있었으며 웬만한 건물들은 전부 무너지거나 폭발한 모습이었다. 지옥이 실제로 있다면 여기일 것 같았다.

"와… 아악!!!"

주변을 둘러보며 충격에 빠져있던 아이비가 갑자기 비명을 질렀다. 우리가 타고 있는 차의 앞으로 불기둥이 솟아올랐다. 아이비가 핸들을 급하게 꺾어서 차는 간신히 불기둥에 앞에 멈췄다.

"뭐가 어떻게 된 거지?"

"갑자기… 앞에서 엄청나게 불이 솟아올랐어요"

나는 차를 내려서 주위를 살펴봤다. 불기둥은… 화염병인 거 같았다.

"주변에서 화염병을 던진 거 같다"

"화염병이요?"

그때 주변에서 유리가 깨지는 소리가 더 들리더니 불길이 우리를 가두었다.

"이…이게 무슨 일이죠?"

그때 주변 건물들의 위에서 총을 장전하는 소리가 들려왔다. 그리고 어떤 목소리도 함께 들려왔다.

"죽고 싶지 않다면 가만히 있어라"

"한 발짝만 움직여도 벌집으로 만들어버리겠다."

나는 주위를 둘러봤다. 건물마다 옥상에 10명 꽤 되는 숫자… 그때 나와 아이비를 둘러싼 불길들 사이에서 어느 한 남자가 걸어들어왔다.

***

그 불길 속에서 등장한 남자는 거대한 창을 들고서는 다가왔다.

"너희는 어디에서 온 거냐"

그 남자가 우리에게 물었다.

"저… 저저… 저는 부산에서 와… 왔습니다"

아이비가 떨면서 말했다.

"나는 서울에서 왔다."

"서울… 옷을 보니 군인인 것 같군. 여기는 무슨 일이지?"

그 남자는 우리에게 차분하게 말을 걸어왔다. 우선… 적의는 없어 보였다.

"그 전에 우리가 어디에서 왔는지 밝혔으니 당신은 누구인지 알려줘야겠어."

나는 그 남자의 얼굴을 바라보며 말했다.

"아… 하하 그런가 그래"

"나는 마태호라고 한다. 이곳 광주에서 사람들과 힘을 모아 항전 중이지"

"사람들의 대장인가?"

"그래 내가 사람들을 모았다."

"자 이제 너희가 왜 여기 왔는지 말해야 할 거야"

"… 내 딸을 찾아왔다."

"네… 딸?"

"그래 어디인지는 모르겠으나 일단 갱단에게 납치된 것이 확실하다."

"그래서 우리는 우선 광주 갱단을 파괴하러 온 것이다"

"… 광주 갱단을 부순다는 것은… 우리의 목표와 같은 목표를 가지고 있군그래 우리와 함께해보지 않겠나?"

"우리와 함께 광주 갱단을 무너뜨려 광주를 해방해 준다면… 네 딸을 찾는 것을 도와주겠다."

마태호가 권유했다. 그때 아이비가 옆에서 귓속말했다.

"아저씨 저 사람들… 싸울 생각은 없어 보이는데 일단 함께 가는 건 어떨까요?"

"내가 보기에도 그렇다 일단 협력해서 나쁠 건 없어 보이긴 한데…"

그때 우리를 조용히 바라보고 있던 마태호가 말을 꺼냈다.

"사람을 앞에 두고 귓속말을 하는 건 예의가 아닌 거 같은데…"

그 말을 들은 아이비는 바로 똑바로 섰다.

"그렇게까지 뻣뻣하게 슬 필요는 없어"

아이비의 행동을 본 마태호가 웃으며 말했다.

"그래… 일단 서로의 목표가 같으니 협력하도록 하지"

내 말을 들은 마태호가 오른손을 들었다. 그러자 건물들의 위에서 우리를 겨누고 있던 총구들이 사라졌다.

"휴우우…"

아이비는 옆에서 안도의 한숨을 내쉬었다. 그리고 얼마 안 지나자 마태호의 뒤에서 차 한 대가 불길을 뚫고 들어왔다.

"뒷좌석에 타게 우리의 본부로 가지"

"가면서… 좀 대화도 나누고 말이야."

마태호가 불길을 뚫고 온 차의 조수석에 탔다. 아이비는 차로 달려가 뒷좌석에 탑승했다. 원래라면 저런 사람은 쉽게 믿는 건 위험한 짓이지만 무언가… 저자는 괜찮을 거라는 근거 없는 확신이 들었다. 나는 천천히 걸어가 뒷좌석에 탑승했다. 차에 타자 마태호가 물었다.

"그런데… 광주 갱단이 딸을 납치해 간 게 맞나?"

"그건… 잘 모르겠다. 그래서 지금 전국의 갱단을 찾아가 보는 중이야…"

"그렇군…"

아이비는 옆에서 왜인지 조금 슬픈 표정으로 해킹도구를 두드리고 있었다.

"그래 잘 됐으면 좋겠구나… 우리도 최선을 다해서 돕도록 하지"

그 뒤로는 아무 말 없이 차를 타고 이동했다. 차 안에서 본 광주의 모습은 울산보다 심각했다. 골목에 숨어서 치료를 받는 사람도 보였고 길거리에는 사람들의 사체가 그냥 널브러져 있었다. 또한 건물들은 성한 건물이 없었으며 곳곳에서 불이 피어오르고 있었다.

진짜… 천국과 지옥을 믿지는 않지만, 만약 진짜 지옥이 있다면 이렇게 생겼을 것 같았다. 그렇게 밖을 바라보다 차 안의 정적을 깨고 내가 마태호에게 물었다.

"그런데… 광주는 왜 이렇게 된 거지?"

이 말에 마태호의 얼굴이 어두워졌다.

"말하자면… 좀 길지 듣고 싶나?"

"… 그래 당신에 대해서도 더 알고 싶군"

"그래 알겠네"

"광주도 다른 도시와 다름없었지"

"현재 미래 한국은 몇몇 도시가 강해진 갱단에게 점령을 당한 상태야"

"그건… 알고 있다"

"그래 광주도 그런 상황이지"

"나는… 이제 보다시피 나이가 많아서 군인을 그만둔 상황이었거든"

"군인…?"

"그렇지 나도 군인이었어 그래서 자네의 군복을 보고 군인이라는 걸 알아챈 거였지"

"아…"

"어쨌든 나는 군인을 그만하고 이제 고향인 광주로 가서 여생을 쉬면서 살 생각이었어 하지만 다른 도시들과 마찬가지로 광주도 갱단들이 판치기 시작했지"

"그런데… 광주는 심했던 거야"

"물론 원래는 울산 갱단의 보스가 더 난폭한 거로 유명했지"

"하지만 지역을 점령할 때는 광주 갱단이 더 난폭하게 점령하려 했어."

"난 그런 걸 그냥 보고 있을 수 없었다 내 고향이 그렇게 망가지는 걸 가만히 보고 있을 수 없겠더라고"

"그래서 광주를 쉽게 점령하지 못하도록 사람들을 모았지"

"그렇게 사람들을 조직하고 광주의 갱단과 전쟁을 하기 시작했다"

"그게 현재의 광주의 상황인 거야"

"그렇군…"

"자 이제 도착했네 광주 시민군 본부야"

차를 타고 약 30분이 지났다. 창밖을 바라보자 차가 어디론가 지하 주차장 같은 곳으로 내려가고 있었다. 그렇게 내려가던 중 어떤 사람이 나와 운전자와 대화를 나눈다.

"뒤에 있는 사람들은…?"

"아 한 분은 부산에서 왔고 다른 한 분은 서울에서 오셨다."

그 사람과 마태호가 대화를 시작했다.

"두 분 다 우리를 도와주실 분들이다"

"하지만 한 번 더 확인을 해보는 게…"

"날 믿어라. 이미 모든 확인은 끝났어."

"…그리고 지금의 이 판도를 뒤집으려면 놈들이 예상하지 못했을 변수가 필요하다."

"이자들이 놈들에게 큰 변수가 되어줄 수 있을 것 같군"

"…대장님이 그렇게까지 말할 정도라면 네 알겠습니다"

"야 문 열어"

마태호와 마친 그 사람이 말하자 문이 열리는 소리가 들렸다. 그리고 더 깊숙이 들어갔다.

"여기는… 그냥 지하 주차장에 만든 건가?"

"그래 내가 살던 아파트 지하 주차장을 좀 개조한 거지"

"그게 가능한가?"

"그래 이 아파트가 내 것이거든 여기에 우리 사람들을 모아서 본부로 사용하고 있지"

지하 주차장에서 개인 정비를 하는 사람들의 모습을 볼 수 있었다. 구석에서는 부상자들 치료가 진행 중이었고 또 다른 곳에서는 총기 점검에 각자 개인 정비를 진행하고 있었다.

"이제 내리면 된다."

마태호가 차에서 내려 어디론가 걸어가기 시작했다. 나는 차의 문을 열고 차에서 내렸다. 아이비는 자신 쪽 문으로 나오지 않고 내가 문을 연 쪽으로 내렸다.

"아니… 굳이 내 쪽으로 내리는 이유가 뭐냐…"

"음… 문 열기 귀찮아서? 아니 그냥 제 맘이에요~~~"

아이비는 말을 마치고서는 마태호를 따라 걸어갔다.

"아니…"

나는 문을 잡고 한동안 서 있었다.

"크흠…"

그때 차를 운전해줬었던 운전사가 헛기침했다.

"아 미안하군"

내가 차의 문을 닫자 운전사는 그 차를 주차하러 떠났다. 나는 어느새 구석 끝까지 간 아이비와 마태호를 뒤쫓았다.

"아저씨 이렇게 큰 건물이 본부라면… 광주 갱단은 여기를 찾아온 적 없어요?"

"음… 일종의 스텔스 장치라고나 할까… 나도 무언가 조치를 해놨지"

"오… 아저씨가 만들었어요? 만들었으면 저도 기술 좀 배울 수 있을까요?"

"나는 그 정도 머리가 안 돼서 말이야 군시절에도 현장 임무만 뛰었었어"

"나는… 중장이 되어서도 그냥 내가 직접 현장에 가서 싸웠었지, 머리 쓰는 건 나랑 잘 안 맞아"

"아… 그래서 스텔스 기능은 누가 만든 거예요…?"

"아 나중에 저기 엔지니어들과 해커들을 모아 놓은 모임이 따로 있어 그쪽에서 제작했던 거니까 나중에 만나봐봐"

"오오… 저기 가 보고 싶다 고마워요"

마태호와 아이비가 대화를 나누며 걸어가고 있었다. 나는 주위를 둘러보며 그 둘을 따라가고 있었다. 그러다 나는 마태호에게 물었다.

"여기는… 원래 이렇게 분주한가?"

"무슨 말이지?"

"그러니까… 평소에도 이렇게 전투를 준비하고 전투하러 나가는 건가?"

"아 그건 군대를 갔다 온 자들을 모은 모임이 따로 있어 그 사람들만 거의 매일 나간다고 보면 돼 나머지는 특별한 경우가 아니라면 이 본부에서 대기하는 식이지"

"그럼… 지금이 특별한 경우라는 건가?"

"그래 자네들도 왔고 곧 긴 항쟁을 끝낼 생각이야 최후의 전투를 준비 중이지"

"그 말은… 우리가 올 거란 걸 알고 있었던 건가?"

"그렇지"

"어떻게…"

"우리가 이 전투를 준비한 건 부산의 갱단이 무너졌다는 소식을 들었을 때부터였다 그때 그 소식을 듣고 긴 항전에 지쳐있던 사람들이 더 힘을 얻게 되었지"

"그리고 그 힘으로 우리도 무너뜨려 보자 생각하게 된 거야"

"그러던 중 우연히 부산 갱단을 무너뜨린 자의 사진을 보았지 무슨 사이보그 남자의 모습이더군. 그리고 얼마 안 가 커뮤니티에 올라왔던 영상이 하나 있었어."

"바로 고속도로에서 전투를 벌이고 있는 사이보그의 영상…"

"설마…"

"그래 바로 자네야"

"그 영상이 올라가고 또 얼마 안 지나서… 울산에 파견 간 우리 정보원에게 울산 갱단의 몰락 소식을 들었어 그리고 그 갱단을 무너뜨린 사람은 조사 결과…"

"커뮤니티에 올라온 영상에 나온 사람과 같은 사람… 자네라고"

"그리고 나는 생각했지, 우리에게도 그자가 올 거야 이 지긋지긋한 광주 갱단을 무너뜨릴 자네가 올 거라고"

"나를 알고 있었다면… 왜 처음에 화염병을 던져대며 막아선 거지?"

내가 따지듯이 묻자 마태호가 웃으면서 말했다.

"일단 자네의 확실한 목적을 알아야 하니까 광주 갱단을 무너뜨리려는 것이 확실한지"

"우선 자네가 가는 곳마다 갱단이 무너진 건 확실하다만…"

"그냥 싸움을 좋아하는 사람일 수도 있다는 생각이 있기도 했었거든."

"그래서 여기는 무슨 일인지 물어봤잖아? 목적을 알기 위해"

"그렇군"

"그래, 그렇다면… 광주 갱단과는 언제 전투를 시작할 생각이지?"

"사흘 뒤다"

"우선 놈들은 곳곳에 다른 거점들이 있어 광주의 모든 땅을 관리하기 위해 곳곳에 병력을 나눠두어 거점을 세워두었다."

"이 거점을 쳐들어가서 병력을 최대한으로 줄이고 마지막 광주 갱단의 본거지에서 마지막 전면전을 하는 거지"

"이 병력을 못줄이고 그냥 전면전을 시작하면 이 여러 거점에서 한 번에 공격해와서 포위당해 전부 죽을 가능성이 커"

"그런가… 거점들의 위치는 알고 있나? 개수는?"

"전부 파악 중이야 우선 파악된 건 약 5개"

"그것보다 훨씬 많을 거라 예상되지만 우선 찾은 곳은 5곳이다"

"그럼… 그곳들은 내가 혼자 가도록 하지"

"뭐?"

"다른 거점들이 더 있을 거라 하지 않았나 여기의 병력과 당신은 그 거점들을 부수러 가 현재 발견된 5곳은 내가 혼자 부술 테니"

"저도 도와줄게요!!"

옆에서 말을 듣고 있던 아이비가 나섰다.

"…그래 둘이서 이곳 5곳만 부탁한다."

"위치는 저기 엔지니어들이나 해커들에게서 받으면 될걸세"

"그리고 위치를 받으면 아까 운전사 친구에게로 가서 차 하나를 받아 가면 될 거야"

"알았다"

말을 마친 나는 아이비와 함께 해커들에게 다가갔다. 주차장에 구석에 컴퓨터 여러 대와 그 컴퓨터를 들여다보고 있는 사람들이 있었다. 아마 저자들이 해커들이겠지

"혹시 지금 발견된 광주 갱단들의 거점 위치를 알려줄 수 있나?"

내 말에 컴퓨터를 보고 있던 해커 한 명이 나를 돌아봤다.

"… 오 당신은… 그래요 알려드릴게요"

"여기로 보내주세요!!"

아이비가 자신의 해킹도구를 내밀었다.

"아… 네 잠시만요…"

해커가 컴퓨터에 아이비의 해킹도구를 연결했다. 그리고 빠르게 파일 하나를 아이비의 해킹도구로 업로드했다.

"자… 됐어요… 현재 발견된 곳은 그 5곳이에요…"

"고맙다"

"감사합니다!!"

"네… 그럼 수고하시길…"

말을 마친 해커는 다시 컴퓨터를 조작하기 시작했다. 나와 아이비는 위치 정보를 받고 우리를 이곳으로 데려다준 운전사에게 다시 다가갔다.

"그 아까는 고마웠다. 그리고 미안하지만 한 번만 더 도움을 받지 혹시 차 한 대를 받아 갈 수 있나?"

"네 차가 좀 많아서요. 길가에 있는 차들 막 가져오는 거라 여러

대 가져가셔도 괜찮아요"

"아니 한 대면 충분하다"

"네 저기 끝 쪽 차량 가져가시면 됩니다"

운전사가 내게 차 키 하나를 건넸다.

"고맙네"

차에 다가가자 아이비가 말을 걸어왔다.

"그럼 이번에도 제가…"

"야"

"아 알겠어요. 알겠어요"

아이비는 그대로 뒷자리로 가서 앉았다. 그렇게 우리는 본부를 빠져나와 해커들이 표시해준 위치를 향해 나아갔다.

***

"아이비 여기서 가장 가까운 거점은 어디지?"

"음… 여기서 20분 거리에 2개가 있고 30분 거리에 3개가 있네요"

"하… 다 멀군"

"그렇긴 한데…"

아이비가 거점의 위치들을 보며 한숨을 쉬었다.

"그래 일단 우리가 한다고 했으니… 길을 안내해라"

아이비가 해킹도구를 좀 더 건드려서 거점의 위치들을 홀로그램으로 띄웠다. 나는 홀로그램에 나타난 거점들을 보고 한숨을 쉬고 그 거점들로 향했다.

…

그렇게 첫 번째 거점으로 가는 길이었다.

"아저씨"

"왜"

"언젠가… 이 모든 일이 끝나면 아저씨는 뭘 할 거예요?"

"그게… 무슨 말이지?"

"그냥 언젠가 딸을 찾아서 모든 일이 끝난다면…"

"뭘 할 것인지… 아저씨는 군대도 그만두셨잖아요. 딸을 찾기 위해서"

갑작스러운 아이비의 질문에 없던 고민이 갑자기 생겨났다.

"그건… 좀 더 생각을 해봐야겠구나"

"근데 이 질문의 의도는 뭐지?"

"그냥 궁금해서 물어봤어요"

말을 마친 아이비는 다시 자신의 해킹도구를 들여다봤다.

"그래"

그렇게 짧은 이상한 대화를 마치고 거점으로 향하던 중이었다.

펑!!!!

우리가 탄 차의 아래에서 갑작스럽게 큰 폭발이 일어났다. 우리의 차는 그 폭발로 높게 날아오른 후 몇 바퀴를 굴러 전복되었다.

…

"으윽…"

몸이 아프지 않은 곳이 없었다. 순간적으로 한쪽 다리에는 감각이 없어졌으나 얼마 안 지나 금방 돌아왔다. 나는 힘겹게 눈을 떠 주위를 둘러봤다.

"이게… 어떻게 된 일이지…?"

전복된 차 안에서 바라본 밖은 완전히 불바다였다.

"아 아이비"

나는 옆좌석에 앉아있던 아이비를 바라봤다. 아이비는 이마에 상처를 입어 피를 흘리고 있었고 충격으로 인해 기절한 모습이었다.

"아이비…!!"

나는 전복된 차의 안에서 차 문을 왼팔로 강하게 쳐서 열었다. 그리고 그 부순 쪽으로 차를 빠져나왔다 그 후 온몸에 고통이 엄청난 몸을 이끌고 바로 옆좌석으로 가서 문을 뜯어내고 안에 있는 아이비를 밖으로 꺼냈다.

"아이비 정신 차려봐!!"

아이비는 폭발로 인해 완전히 기절한 모습이었다. 그래도 숨은 쉬고 있었다. 우선 아이비를 쉬게 하려고 아이비를 바닥에 눕혀놨다.

"휴우…"

나는 눕혀둔 아이비의 옆에 앉아서 한숨을 내쉬었다. 그런데 왜 갑자기 차가 폭발한 거지? 나는 일어서서 불바다가 된 주변을 둘러봤다. 무언가 발견되지 않을까 하는 마음으로… 그렇게 주위를 둘러본 지 얼마 안 지나 불길 사이에서 무언가를 발견했다. 나는 뜨거운 불길을 헤치고 그것에 다가갔다. 그리고 바닥에 떨어져 있는 그것을 주워 프로그램으로 스캔을 진행했다. 무슨 작은 장치처럼 생겼는데…

"지뢰…?"

스캔 결과 그 작은 장치는 폭발 지뢰였다. 하지만 내가 지금까지 본 적 없었던 완전히 새로운 형태의 지뢰였다. 우리의 차는 아마도 이 지뢰를 밟고 그대로 폭발한 것일 거다. 이 지뢰는 누가 깐 거지? 아니 이렇게 생긴 지뢰는 대체 누가 만든 거지? 폭발했지만 지뢰의 구조는 어떻게든 확인할만했다. 이 지뢰의 구조를 보았을 때 웬만한 대전차 지뢰보다는 몇십 배는 강한 폭발력을 낼 수 있는 구조였다.

"이건… 저 차의 내구성이 말도 안 되게 단단해서 살아남았다고 생각할 수밖에 없겠군…"

"일반적인 차였다면 폭발에 완전히 흔적도 없이 사라졌을 거야"

"돌아가면 그 운전사 친구에게 감사 인사라도 해야겠어."

그때 지뢰에 미세하게 남은 글자를 읽을 수 있었다.

"Gwangju"

"광주?"

광주에서 개발한 것인가? 아니 광주시에서 이걸 만들었을 리가 없다. 아마 이 지뢰를 만든 것은 광주 갱단 놈들이겠지… 거점을 방어하기 위해 주변에 뿌려둔 것인가… 나는 그 지뢰의 잔해를 들고 다시 전복된 차로 돌아갔다. 아이비는 아직도 기절한 상태로 깨어나지 않고 있었다.

그때였다. 주변에서 방금은 느낄 수 없었던 인기척이 느껴지기 시작했다. 지뢰가 폭발하면서 광주 갱단의 녀석들이 눈치를 채고 온 거 같다. 한 놈… 두 놈… 세 놈… 꽤나 많이도 끌고 왔군… 우선 어떻게 될지는 모르겠지만 아이비를 어떻게 해서든 지키며 싸워야 한다.

나는 프로그램을 사용하여 더 자세히 놈들의 위치를 파악했다. 옆의 3층짜리 건물의 옥상에 2명 좀 멀지 않은 거리의 불길 속에서 조용히 다가오고 있는 3명 그리고 그 반대편에서 다가오고 있는 4명까지…

"지금이라도 그냥 가라"

"이 불길들을 네놈들의 피로 진화하기 전에"

나는 주위에 다 들리도록 큰 목소리로 외쳤다. 그러자 몇몇 놈들은 움찔하긴 했지만, 다시 나에게 천천히 다가오기 시작했다. 나는 옆의 차에서 앞 좌석과 뒷좌석의 문을 때어내 양손에 들었다. 그때 아이비의 옆에 그 비둘기 로봇이 앉았다.

"그래 아이비는 네가 잘 지키고 있어라"

"구구구"

내 말에 비둘기는 자신만 믿으라는 듯 당당한 소리로 울었다.

"…"

이 녀석이… 조금은 마음에 들기 시작했다. 어쨌든 나는 다시 주위 적들의 위치를 확인했다. 건물 위의 놈들이 총을 조준하기 시작했다. 곧 공격이 시작될 것 같은 분위기였다. 그렇다면 이런 상황에서는… 먼저 공격하는 거다.

나는 건물 위에서 총을 조준하고 있는 녀석들을 향해서 왼손에 들고 있던 차 문을 원반처럼 던졌다. 날아간 차 문은 건물 위에서 날 조준하고 있던 2명의 총에 부딪혔고 부딪힌 총들은 전부 건물 아래로 떨어졌다.

내가 먼저 공격하자 멀리서 조심히 다가오던 녀석들이 달려오기 시작했다. 우선 나는 왼쪽에서 다가오는 4명에게 오른손에 들고 있던 차 문을 던지고 허리에서 권총을 꺼낸 뒤 오른쪽에서 다가오는 셋에게 발사했다.

차 문을 날린 왼쪽은 차 문이 다가오던 왼쪽 4명의 몸이 전부 반으로 절단시켰고 총을 발사한 오른쪽은 적 3명 전부 총알에 몸을 꿰뚫려 사망했다. 그러자 건물 위에서 총을 놓친 2명이 건물에서 뛰어내려 바닥에 떨어진 총을 줍고서는 내게 총을 난사하기 시작했다.

"X져버려 그냥!!!!"

나는 등에서 플라즈마 검을 뽑아 들고 녀석들이 마구 쏴대는 총알들을 하나하나 튕겨내면서 녀석들에게 다가갔다.

"저게 사람이냐???"

나는 그대로 놈들에게 접근해 놈들의 몸을 반으로 베었다.

"휴우…"

나는 팔에 검에 묻은 피를 닦아내고 검을 검집에 넣었다. 그때 하늘에서 비가 내리기 시작했다. 그 비들에 의해서 주위의 불들도 점점 약해지기 시작했다. 하지만… 그때였다.

"아저씨!!!"

차가 터졌던 곳에서 아이비의 비명이 들려왔다.

"아이비!!"

나는 최대한 빠르게 아이비가 있는 곳으로 달려갔다.

"야… 야 이 새X야!!!"

"…!"

아이비는 어디서 나타났는지 모를 갱단원에게 잡혀 머리에 총구가 겨눠진 상황이었다. 그리고 그 갱단원의 주변에는 다른 갱단원들도 더 서 있었다.

"너… 너 이 새X 한 발자국이라도 움직인다면 이 애 머리는 그대로 날아가는 거야"

나는 우선 침착하게 입 모양으로 아이비에게 신호를 보냈다.

'조용히 그리고 가만히 있어 구해주마'

하지만 아이비는 떨면서 내게 말해왔다.

"아… 아저씨 저는 괜찮아요… 저는 괜찮으니까"

'아니 그냥 조용히 있으라고'

나는 다시 한번 입 모양으로 아이비에게 말했다. 하지만 아이비는 못 알아들은 듯했고 또 떨면서 말해왔다.

"저는 죽어도 괜찮으니까 꼭 이 녀석들을…"

"아 그냥 조용히 있으라고!!"

"아… 저씨?"

나는 결국 답답함을 이기지 못하고 소리쳤고 아이비는 당황한 모습이었다.

"뭐… 뭐야 이 새X 네 동료 아니냐?"

당황한 것은 갱단원들도 마찬가지였다.

"하아…"

나는 한숨을 내쉬고 갱단원들에게 천천히 다가갔다.

"야!! 내가 한 말이 기억 안 나냐?"

"이 애가 죽는 걸 진짜 보고 싶나 보지?"

갱단원은 다가오는 나를 보고서는 당황하면서 소리쳤다. 하지만 나는 그 말에도 아랑곳하지 않고 그대로 다가갔다. 그러자 갱단원은 더 당황하며 더 큰 소리로 소리쳤다. 그러다 주위의 갱단원들에게 지시를 내렸다.

"쳇… 얘들아!! 그거 진짜 써야 할 것 같다!!"

168

그거…? 뭔가 준비한 게 있는 건가? 그때 아이비가 소리쳤다.

"아저씨!! 뒤를 봐요!!!"

나는 아이비의 외침에 바로 뒤를 돌아봤지만… 이미 늦었다. 다른 갱단원들이 내 몸과 팔, 다리에 무언가 장치를 부착시켰다. 그리고 주변 바닥에도 내 몸에 부착시킨 장치와 비슷하게 생긴 장치를 깔아뒀다.

그리고 그 녀석들이 어디선가 꺼낸 리모컨의 버튼을 누르자 내 몸에 장착된 장치가 바닥에 깔린 장치에 끌려가기 시작했다. 나는 버티려 했지만 결국 장치에 힘에 밀려 바닥에 주저앉았다. 그러자 아이비를 인질로 잡고 있던 갱단원이 아이비는 다른 갱단원들에게 넘기고 내게 다가오기 시작했다.

"하하… 이게 진짜 먹혔잖아?"

"그래 사실 이 애는 어떻게 되든 상관없어 우리가 원하는 건 너였거든"

그 갱단원이 내 앞에 무릎을 굽히고 앉았다.

"네놈의 그 팔이 신기해서 말이지…"

"아저씨…!"

"큭… 젠장…"

뒤에서 아이비는 갱단원들에게 끌려가기 시작했다. 몸을 움직이려 했지만 장치로 인해서 움직이기 어려웠다. 그때 내 앞에 있는 놈이 내 턱을 잡아 자신의 얼굴을 바라보게 했다.

"그래… 어디선가 봤다 했더니 그 군인이군… 놀라운데?"

"날… 아나?"

"뭐 그건 내가 말해줄 이유 없고 난 네 팔을 팔았을 때 나올 돈이 필요할 뿐이거든 그리고 네놈을 갖다 바쳤을 때 나올 현상금도… 흐흐"

"순순히 따라와 줘야겠어."

"아저씨 구해줘요!!"

당장이라도 아이비를 구해야 하지만… 하지만…!!! 지금으로써 는… 구할 방법이 없어…!!

***

그때였다. 프로그램에서 방금까지는 없었던 이상한 전류가 주변 에서 감지되기 시작했다… 뭐지?

전류가 흐르기 시작한 지 얼마 안 지나 갑자기 내 앞에 있는 갱 단원의 뒤에서 강한 번개가 내리치듯 강한 전류가 터졌다. 그러자 아이비를 잡고 있던 갱단원들과 주변의 모든 갱단원이 감전되어 그 자리에 쓰러졌다. 하지만… 아이비는 아무렇지 않은 모습이었 다. 내 앞에 있는 갱단원이 크게 당황하며 소리쳤다.

"이… 이게 무슨…? 너 이 새X 무슨 수작을 벌인 거야!!!"

갱단원이 총을 아이비에게 겨눴다. 그때 내 몸과 바닥에 부착되 어있는 장치들이 방금의 강한 전류폭발 때문에 작동을 멈추게 되 었다. 몸이 자유로워진 나는 바로 일어서 등에서 검을 뽑아 갱단 원의 몸을 꿰뚫었다. 그리고 바로 녀석의 몸에서 검을 뽑아 그 녀석의 목을 베어버렸다. 그리고 피를 다시 팔에 닦은 후 검집에 집어넣었다. 아이비는 모든 상황이 끝나자 그대로 바닥에 주저앉 아버렸다. 나는 아이비에게 다가갔다.

"아이비 어디 다친 데 없나?"

"ㄴ… 네… 전 아무렇지도 않아요. 심지어 해킹도구도 멀쩡해 요!!"

"그 전류폭발… 진짜 네가 일으킨 거냐?"

"아니요? 그럴 리가요! 전 그런 거 절대 못 한다고요!"

아이비는 바닥에 주저앉아서는 손사래를 쳤다.

"그렇다면…"

나는 아이비의 옆에서 가만히 앉아있는 비둘기 로봇을 바라봤다. 그러자 내가 바라보는 것을 알아챈 비둘기 로봇이 당황한 듯 울 어대기 시작했다.

"구구구국!! 구구구"

아이비는 비둘기 로봇과 나를 여러 차례 번갈아 가며 바라보더니 당황한 듯 횡설수설하기 시작했다.

"에이 설마!! 두부가 그런걸 할 수 있겠어요? 아무리 인공지능이 발달한다 해도 몸체에 아예 넣은 적 없는 기능을 해낼 리가…"

"그래, 그냥 한번 봐본 거야"

나는 아이비에게 말하고 주위를 둘러봤다.

"그럼 대체 누가 한 거지…? 짐작 가는 거 있나?"

"아니요. 하나도 모르겠어요… 딱 저 녀석들만 노린 그런 강력한 전류폭발이라…"

"내가 한 거다"

그때 저 멀리에서 누군가가 우리에게 걸어오고 있었다.

"넌… 아니… 너가 왜 여기에 있는 거지?"

우리에게 걸어오고 있는 것은 다름 아닌 마태호였다.

"너희 쪽은 다른 나머지 거점들을 공격하러 가는 것이 작전 아니었나?"

내 말에 마태호는 착잡한 표정으로 말하기 시작했다.

"그래 그게 원래 작전이었지 실제로 다른 거점들을 치러가기 직전이었다"

"하지만 놈들이 먼저 선수 쳤다"

"그게 무슨 소리지?"

"설명하자면 좀 길다만…"

"설명해봐라"

마태호는 한숨을 쉬면서 말을 이었다.

"어찌 된 영문인지는 모르겠으나 우리 본부의 스텔스 보호막이 해제되었고 그것을 복구하는 도중에 갱단 놈들이 습격해왔다."

"다행히 습격해온 놈들은 전부 처리하며 피해는 적었으나 우리의 위치가 노출된 이상 이젠 안심하고 있을 수 없다"

"그리고 내가 여기 온건 너희들이 연락을 안 받아서 바로 달려온 거야"

"그런 건가…"

"그래 그래서 내가 새로 생각해본 작전은 이렇다."

마태호는 자신의 주머니에서 홀로그램 장치를 꺼내 들었다. 그리고 바닥에 두고 홀로그램 장치를 가동하자 거대한 빌딩의 모습이 나타났다.

"이건… 무슨 건물이지?"

"광주 갱단의 본거지의 모습이다."

"이건 왜… 그래 일단 작전을 말해봐라"

"내 작전은… 정면 돌파를 하는 거다"

"뭐? 정면 돌파를 한다고?"

"내 말을 들어봐라"

"작전은 이렇다 우리만 정면 돌파를 할 거야 나와 본부의 병력만 정면 돌파를 시도할 것이다"

"그때 너는 우리가 정면에서 시선을 끌고 있는 사이 광주 갱단의 본거지로 잠입해라"

"그리고 보스를 만나 그 녀석을 잡아서 딸이 있는지를 찾아봐라"

나는 마태호의 작전을 듣고서는 한동안 고민에 빠졌다. 다른 작전은 없을지… 하지만 지금은 마태호의 작전을 따르는 것이 가장 나아 보였다. 나는 결심하고 마태호에게 물었다.

"정면에서 얼마나 버틸 수 있지?"

"시간 걱정은 하지 마라 네가 갱단 보스를 처리할 때까지의 시간은 충분히 벌 수 있을 거다"

"그런가…"

그때 옆에서 안절부절못하고 있는 아이비의 모습이 눈에 들어왔다.

"넌 왜 그러고 있냐?"

내가 묻자 아이비가 날 바라보며 물었다.

"저는요?"

"뭐?"

"아니 마태호 아저씨는 정면 돌파하시고 아저씨는 잠입하시면 전 뭘 하고 있어야 해요?"

"넌…"

"넌 본부에서 이자가 잠입할 때 도움을 줘라. 머리가 꽤 똑똑해 보이니까 충분히 할 수 있을 것 같은데… 가능하지?"

"넵!! 당연하죠!!"

내가 말하려 할 때 마태호가 아이비에게 지시를 내렸다. 나는 마태호를 바라봤지만, 마태호는 내 시선을 신경 쓰지 않는 듯했다.

"자 그럼 모든 설명은 끝났다 본부로 바로 돌아가도록 하지"

"바로 가서 아까 말한 작전을 준비한다."

마태호가 주머니에서 차 키를 꺼냈다. 그리고 차 키의 무슨 버튼을 누르자 저 멀리에서 검은색 승용차가 다가오기 시작했다. 얼마 후 승용차는 우리의 앞에서 딱 멈춰 섰다.

"와! 아저씨 이차 얼마에요?"

아이비가 마태호의 차로 달려가 차의 앞뒤 오른쪽 왼쪽 모든 면을 둘러보며 말했다.

"그게 왜 궁금하지?"

마태호가 이유를 묻자 아이비가 흥분한 체 말을 이어갔다.

"이런 기능 있는 거면 가격 좀 나갈 텐데… 그리고 외관을 봤을 때 방탄 개조도 하신 거 같은데 그러면 진짜로 가격이 좀 많이…"

"아이비"

나는 흥분해서 말하는 아이비의 이름을 불러 진정시켰다.

"아 네 너무 흥분했죠? 네…"

내가 아이비의 이름을 부르자 아이비는 바로 주눅 들었다.

"아니다 괜찮아 그런 거 한창 궁금할 때지"

마태호가 웃으며 말하자 아이비도 얼굴에 미소를 띠었다.

"그럼 일단 다들 바로 탑승하게 시간이 그리 많지 않을 거야"

마태호는 말을 마치고서는 차의 운전석에 올라탔다. 나는 차의 조수석에 탔고 아이비는 뒷좌석에 빠르게 올라탔다. 그렇게 차는 광주 시민군 본부를 향해 달리기 시작했다.

…

그렇게 차를 타고 약 20분 정도가 지났을 때였다. 갑작스럽게 차가 멈춰 섰다. 마태호 쪽을 바라봤는데 마태호도 당황한 모습이었다. 그때 뒷좌석에 앉아있던 아이비가 입을 열었다.

"EMP인 거 같아요. 지금 제 도구도 좀 상태가 이상해요"

"네 해킹 장치는 그냥 고장 난걸 수도 있지 않나?"

"제 도구는 이렇게 쉽게 고장 안 나요!! 이렇게 망칠 수 있는 건… 지난번 울산에서 맞았던 EMP 같은 거 말고는 거의 없거든요? 그리고 도구에 뜨고 있는 에러 문구도 그때 EMP를 맞아서 맛 갔을 때 뜨던 에러 문구랑 똑같아요. 아직도 제 전문성이 의심스러운 거예요?"

"당연한 걸 또 묻나…"

"아니…"

그때 마태호가 말싸움을 말리며 아이비에게 물었다.

"그만들 싸우고… 아이비 EMP가 어디서 시작됐는지 알아볼 수 있겠나?"

"네? 아 저 기술력이 딸려서 못 알아볼 거 같네요! 누가 자꾸 무시해서! 사과하면 가능할 수도 있겠는데!!!"

마태호의 물음에 아이비가 날 바라보며 소리쳤다. 그러자 아이비의 말을 들은 마태호가 나를 바라봤다. 나는 마태호가 말은 하지 않았지만 무슨 생각을 하는지 눈빛으로 알 수 있을 것 같았다. 나는 어쩔 수 없이 아이비에게 사과했다.

"그래 내가 미안하다"

그러자 기세등등해진 아이비가 더 큰 목소리로 말했다.

"뭐가 미안한데요?"

나는 아이비를 째려봤지만, 아이비는 웃으며 어깨를 으쓱했다. 나는 어쩔 수 없이 다시 사과했다.

"아이비 내가 너의 기술력을 무시해서 정말 미안하다 그럼 이제 EMP의 근원지를 알아낼 수 있겠나…?"

"불가능해요"

"뭐?"

아이비가 자신의 해킹도구를 들고서는 말했다.

"제가 방금 얘기했잖아요! EMP 때문에 제 도구도 맛 갔다고"

아이비의 말을 들은 나와 마태호는 잠시 아무 말도 없이 아이비를 바라봤다. 그리고 얼마 후 마태호는 웃음을 터뜨렸다.

"그… 그럼 나한테는 왜 사과를 시킨 거지? 어차피 찾을 수도 없었으면서?"

내가 당황스럽게 묻자 아이비는 실실 웃으면서 말했다.

"그거야… 크큭… 그냥 아저씨 말이 기분 나빴어서… 크흐흑… 사과받고 싶었거든요"

"야 아이비…"

내가 이름을 낮게 부르자 아이비는 웃으며 머리를 긁었다.

"그럼 어떻게 해야 하는 거지?"

마태호가 묻자 아이비가 차 문을 열면서 말했다.

"방법은 하나뿐이에요!"

"아직 방법이 있나? 그게 뭐지?"

"올드하게 할 수밖에 없죠! 내려서 직접 돌아다니면서 찾아다니기!"

말을 마친 아이비는 차 안을 빠르게 빠져나갔다.

"하… 짐작은 했지만… 역시 그 방법뿐이겠지"

마태호는 혼자서 작게 중얼거리더니 아이비를 따라서 차 문을 열고서는 밖으로 나갔다.

"하아…"

나는 차 안에 혼자 남아 한숨을 길게 내쉬고서는 아이비와 마태호를 따라 밖으로 나섰다.

***

밖으로 나가 차 상태를 확인해봤다. 눈으로 보이는 문제는 없었다 아이비 말대로 EMP가 맞는 듯했다.

"진짜… 하루라도 EMP를 안 맞는 날이 없네요…"

"EMP 장치가 가격이 꽤 나갈 텐데 도대체 갱단들이 어떻게 막 쓰고 있는 걸까요? 정식적으로 구매한 건 아닐 테고… 어디서 지원을 받았다거나… 아니면 그냥 훔친 걸 수도…"

아이비가 차 주변을 이리저리 돌아다니며 불평하듯 말했다. 근데 솔직히 불편하고 짜증 나긴 하다. EMP 때문에 내 프로그램이나 나노봇 팔 심지어 검마저도 비활성화되니 불편한 게 한둘이 아니다.

"아마… 녀석들이 우리의 작전을 대충 눈치를 채고 그것을 늦추려고 EMP를 쏜 거 같네요…"

아이비가 주위를 둘러보며 말했다.

"그래 그런 거 같군… 우리에게 EMP 맞췄다는 건… 지금 우리의 위치를 알고 있다는 것이겠지 아니면 무차별적으로 광주 전체를 마비시킨 거거나"

"근데 그럴 가능성은 적어 보여요. 광주 전체로 터뜨리면 자신들도 피해를 입을테니… 혹시 모르니 조심해야겠네요. 주변에서 적이 나올지 모르니까…"

나는 마태호와 아이비의 대화를 듣다가 말했다.

"결국은 주변에 적들이 잠복해있다는 건가?"

"그렇다고 볼 수 있죠"

"하… EMP 장치는 어떻게 찾지…"

나는 잠시 고민에 빠졌다. 진짜 광주를 들쑤시고 다니면서 EMP 장치를 찾다가는 시간이 너무 지체된다. 무슨 방법이… 맞다! 그래! 그게 있었잖아!

"아이비"

내가 이름을 부르자 바닥에 손가락으로 그림을 그리고 있던 아이비가 날 돌아봤다.

"그 네 비둘기 로봇에 EMP 방어체제를 설치해 뒀다고 말하지 않았었나?"

내 말에 아이비가 잠시 땅을 바라보고 있더니 뭔가 깨달은 표정으로 날 바라봤다.

"아 맞다 두부! 맞아요! 그러네요. 두부가 있었네요! 아 제가 이걸 왜 생각 못 했지? 아저씨 기억력도 생각보다 좋네요? 다시 봤어요!"

"뭐?"

"두부! EMP 장치가 어딨는지 알 수 있겠어?"

아이비의 말에 아이비의 어깨에 타고 있던 비둘기 로봇이 하늘로 날아올랐다. 그리고 고개를 끄덕이더니 어딘가를 바라보기 시작했다.

"이 비둘기 로봇… 네가 만든 거니?"

마태호가 하늘로 날아오른 비둘기 로봇을 보며 흥미롭다는 듯이 말했다. 그러자 아이비가 흥분하며 말했다.

"네! 제가 직접 만들었죠! 전부터 비둘기 한 마리 기르고 싶었는데 진짜 비둘기는 사료 주고 여러 가지 할 게 많아서 그냥 만들었어요!"

"그래… 그렇구나… 그건 그렇고… 근데 이 비둘기 로봇에는

EMP 방어체제를 깔아놓고 네 도구에는 안 깔아 놓은 거니?"

마태호가 이해가 안 된다는 듯이 아이비에게 물었다. 그러자 아이비가 나와 마태호를 번갈아 보더니 놀란 표정으로 말했다.

"와 아저씨랑 똑같은 말씀하시네요?? 네 그냥 솔직하게 인정할게요 이건 제가 잘못 판단 한 거예요…"

"그래도 이 두부가 EMP 역추적이 가능하다는 말씀!!"

"두부만 믿고 따라가자구요!"

아이비가 상황을 회피하려는 듯 급하게 두부를 하늘로 날려 보내고 그 뒤를 빠르게 쫓았다. 마태호가 날 바라봤다. 그러고서는 내게 어이없다는 듯이 물었다.

"저 애는… 원래 저런 애인가…?"

"나도 모르겠다 무슨 생각을 하는지 도저히 읽을 수가 없어"

"뭐? 너 저 애랑 꽤 오래 다닌 거 아닌가?"

"나라고 다 아는 거 아냐… 진짜"

"그런가…"

나와 대화를 마친 마태호는 아이비 달려간 길을 천천히 따라 걷기 시작했다. 나는 그 뒤를 쫓아서 마태호와 아이비를 찾아 나섰다.

그 길을 걷기 시작한 지 약 30분 정도가 지났다. 아직도 아이비를 찾지 못했다. 어디까지 간 것일지… 아니면 불미스러운 일이 생긴 것이 아닐지… 걱정되기 시작한다.

"하… 이거 너무 오래 걸리는데… 이러면 작전이 너무 지체된다. 이미 EMP를 쏜 거 보면 우리의 작전을 적들도 대충 눈치를 챈 상태일 텐데 이렇게 시간을 오래 허비하면 녀석들이 우리의 공격을 대비할 시간은 물론 더 많은 걸 준비하겠지. 그럼 우리의 작전의 성공률은 낮아질 거야…"

길을 걷던 마태호가 답답하다는 듯하면서도 걱정스러운 목소리로 말했다. 그 모습에 내가 뭔가 부끄러운 기분이 들었고 아이비를 빨리 찾아야겠다 생각했다.

그때였다. 저 멀리서 아이비와 먼저 떠났었던 비둘기 로봇이 우리를 향해 돌아오고 있었다. 하지만 그 비둘기 로봇의 뒤에는… 아이비가 없었다. 나는 바로 불안한 마음이 들었다. 우리에게 날아온 비둘기 로봇이 우리의 앞에서 다급하게 울어대기 시작했다.

"이거 아무리 봐도…"

마태호가 비둘기 로봇을 바라보며 내게 말했다. 나는 마태호의 말에 조용히 고개를 끄덕였다.

"그래… 아이비에게 무슨 일이 생긴 게 분명하다"

나와 마태호는 이상함을 감지했고 바로 아이비를 찾기 위해 앞으로 달려가기 시작했다. 그렇게 한참을 광주의 건물들 사이 사이를 돌아다녔을 때였다. 나와 마태호를 따라오던 비둘기 로봇이 갑자기 멈춰서더니 어딘가를 보며 울어대기 시작했다.

"구구구구구구!!!"

나와 마태호는 비둘기 로봇이 바라보고 있는 방향을 향했다.

"으아아!! 살려주세요!!!"

그곳에는 아이비가 방금 광주 갱단원들이 입고 있던 옷과 같은 옷을 입고 있는 남자들에게 필사적으로 목숨을 구걸하고 있었다.

"이… 일단 그 무서운 무기는 내려놓고 얘기하는 게 어떨까요? 아직 죽기엔 너무 젊은데!! 그 지금 들고 계신 거 이름이… 뭐 뭐였지 아 맞다! 야구 배트! 그래 그거 좀 내려놓고 우리 대화로 해결하자구요… 네? 뭐가 필요해요? 제가 도울 수 있는 게 있다면 최선을 다해서…"

그때 아이비가 우리 쪽을 바라봤다. 그러더니 그 남자들 사이의 빈틈으로 빠져나와 우리에게 울면서 달려왔다.

"아~~저~~씨~~!!!"

이후 아이비는 내 뒤로 단숨에 달려와 숨었다.

"저… 저 폭력적이고 야만적이고 더럽고 추잡한 녀석들이 절 죽이려 했어요!!! 으어어어엉"

아이비는 내 뒤에서 울면서 말을 했다. 그때 녀석들하고 눈이 마주쳤다.

"아? 네놈은 또 뭐야… 아 너구나 아까 우리 동료들을 죽인 게?"

갱단원들이 우리를 알아보고서는 분노하더니 야구 배트를 휘두르며 위협하면서 다가왔다. 나는 등에서 검을 뽑아 들었다. EMP로 인해 현재 검의 플라즈마는 비활성화된 상태였다.

"이미 그걸 대비해서 EMP를 터뜨려 놨지!! 네놈이 뭘 할 수 있는데?"

놈들이 플라즈마가 비활성화된 내 검을 보고 기세등등하게 말했다.

"괜찮아 비활성화돼도 네놈들 정도는 베어 넘길 수 있어."

"뭐? 이 새끼 어디서 나온 자신감이냐? 하… 야 그냥 죽이자"

내 말에 자존심이 상한 갱단원들이 다가오기 시작했다. 적의 수는 대충 6명 충분히 혼자서 처리가 가능한 수였다. 그렇게 내가 아이비를 등지고 녀석들에게 다가가고 있을 때… 갑자기 내 옆에 서 있던 마태호가 먼저 녀석들에게 달려가기 시작했다.

"저 녀석은…"

"마태호도 이곳에 있던 건가!!"

놈들이 마태호를 발견하더니 기겁하며 소리쳤다. 나는 멈춰서 마태호를 지켜보기로 했다.

"꽤 유명한가 봐요"

내 뒤에 숨었던 아이비가 마태호를 보고 기겁하는 갱단원들을 보고서는 흥미로운 듯이 말했다. 나는 조용히 고개를 끄덕였다.

마태호는 놈들에게 달려가면서 바지의 주머니에서 무언가를 꺼냈다. 기다란 원통형의 무언가였다. 그것의 중앙에 있는 버튼을 누르자 기다란 원통형의 그것이 길어지더니 창이 만들어졌다.

그 창을 본 갱단원들은 당황했지만, 곧바로 야구 배트를 휘둘러 마태호를 공격하려 하였다. 하지만 마태호는 자신의 창으로 놈들의 야구 배트를 튕겨내더니 순식간의 6명의 심장을 전부 창으로 꿰뚫었다. 심장이 꿰뚫린 갱단원들은 몇 초간 서 있다가 한 번에 쓰러졌다.

그 후 마태호는 쓰러진 갱단들의 시체 하나하나를 뒤져보더니 한 갱단원의 주머니에서 무언가를 꺼내 들었다.

"어? 저건!"

마태호가 들고 있는 것을 확인한 아이비가 마태호에게 달려가 그것을 받았다. 그러고서는 여러 면으로 돌려보더니 만족스러운 미소를 지었다.

"그게 뭐지?"

"아마… 틀림없어요 이게 EMP 장치의 스위치일 거예요!"

마태호는 기뻐하는 아이비를 옆에서 조용히 지켜봤다. 아이비는 스위치를 여러 번 둘러보더니 소리쳤다.

"자! 그럼 또 EMP 장치를 찾으러 가자고요! 이제 스위치는 찾았으니깐 장치를 바로 꺼버리고 본부로 돌아가서 작전을 실행하면 될 거 같아요!"

말을 마친 아이비는 또 EMP 장치를 찾기 위해 달리기 시작했다. 그때 마태호가 그런 아이비의 등에 외쳤다.

"그러다가 또 잡히면 그때는 못 도와준다!!"

그 말을 들은 아이비가 뒤를 한번 돌아보더니 방금과는 다르게 천천히 EMP 장치를 찾으러 가기 시작했다.

그렇게 우리는 비둘기 로봇의 안내에 따라 10분 정도 걷자 5층 정도로 돼 보이는 빌라의 옥상에서 EMP 장치를 찾아냈다.

"여기엔 또 적들은 없겠죠…?"

"음… 아마 그럴 거 같군. 아무 인기척도 느껴지지 않아"

우리는 그대로 빌딩의 옥상으로 올라가 갱단원을 처리하고 얻은 스위치로 장치를 비활성화시켰다. 그 후 마태호의 차량을 다시 불러낸 뒤 마태호의 차량으로 다시 광주 시민군 본부로 향하기 시작했다.

***

이번엔 안전하게 도착하는 데 성공한 광주 시민군 본부, 습격을 당했어서 그런지 처음 왔을 때보다 상당히 어지럽혀진 상황이었다. 그래도 사람들은 작전을 준비하고 있었다.

"방금까지 있었던 일들로 시간이 상당히 지체됐다 이젠 진짜 시간이 없어 바로 작전을 진행한다."

마태호는 시민들을 모아 놓고 소리쳤다. 그러자 각자 준비를 하고 있던 시민들이 본부 밖으로 나서기 시작했다.

"자네들은 우선 이리로…"

시민들을 내보낸 마태호가 나와 아이비를 어디론가 불렀다. 그곳은… 전에 광주 시민군의 엔지니어들과 해커들이 있었던 컴퓨터들이 많은 공간이었다.

"마지막으로 작전을 알려주겠네"

"나와 광주 시민들은…"

"시간이 없다 하지 않았나 나와 아이비가 해야 할 일만 말해도 된다."

"…그래 알았다 자네는 정문이 아닌 옆으로 들어가게 광주 시민군이 본거지로 삼고 있는 빌딩은 정문 말고도 옆으로 들어갈 수 있는 비상구가 있다 그곳으로 잠입하면 될 거다."

"그리고 아이비 이 건물의 내부 지도는 저 컴퓨터들에 있으니 지도를 보면서 이자에게 어디로 가야 하는지 잘 설명해 광주 갱단의 보스에게 이끌어 주어야 한다."

"넵!!!"

아이비가 큰 목소리로 대답했다. 아이비는 긴장하기보다는 오히려 기대를 하는 모습이었다.

"그래… 그럼 지금은 시간이 없으니 이 정도만 말하고…"

마태호가 이 장소를 빠져나가며 말했다.

"부탁하네 자네들에게 거는 기대가 커 광주가 자네들의 손에 달려있다고 생각하게"

말을 마친 마태호는 밖에 있는 광주 시민군들에게 갔다. 마태호가 가자마자 아이비는 자신의 해킹도구를 이곳에 있는 컴퓨터들에 연결했다. 그런 아이비의 모습은… 어딘가 굉장히 신나 보였다.

"지도는 다운받았고… 어? 뭐야! 여기에 사용 안 하고 남아있는 EMP 방어 체재 프로그램 파일이 꽤 많이 있는데요? 사용해도 되는 거겠죠?"

"난 모르지"

"어… 에이 그래도 모두를 위해서 하는 건데 사용해도 되겠죠~…아저씨! 이참에 확실하게 해두자고요. 이리 오세요!"

"왜 또 뭘 하려는 거냐"

"아저씨도 EMP 맞을 때마다 고생하셨잖아요! 방어체제 깔아놓으면 앞으로는 걱정 안해도 될 거예요. 빨리요! 검이랑 아저씨 내부 프로그램이랑 다 깔아도 남을 정도로 많으니까!"

아이비가 재촉했다. 그런데… 깔아두면 확실히 좋을 것 같기는 하다. 나는 아이비에게 내 검과 내 내부 프로그램에 파일을 설치할 수 있도록 시간을 주었다.

"이제 좀만 더하면… 자 다됐어요! 이제 EMP 걱정은 안 해도 된다는 말씀!"

아이비가 당당한 목소리로 내게 말했다.

"이제 작전을 준비해볼까요?"

"방금 아저씨 프로그램에 방어 체재를 깔아놓을 때 그리고 아저씨 위치 확인용 GPS도 설치해 뒀어요."

"그래, 고맙군"

"그럼 잘 부탁한다, 혹시라도 이곳이 위험해지면 그냥 바로 도망쳐라. 난 혼자서 해도 될 것 같으니"

"에이 제, 걱정은 하지 마시고 아저씨 작전에 집중하세요!"

"그… 그래, 알겠다."

나는 아이비에게 말을 남기고서는 본부의 밖으로 나갔다. 밖으로 나오자 열을 맞춘 광주의 시민군과 그들의 앞에서 그들을 이끄는 마태호의 모습이 보였다.

시민군을 둘러보던 마태호가 나를 발견하더니 결의에 찬 표정으로 날 바라보며 고개를 끄덕였다. 나도 마태호를 향해 고개를 끄덕였다.

우선 나는 시민군과 다른 곳에서 접근하기 위해 근처 건물의 위로 올라갔다. 내가 건물 위로 올라가자 시민군은 광주 갱단의 빌딩을 향해 달리기 시작했다. 나는 일단 건물 위를 넘어 다니며 광주 시민군과 같이 움직이기 시작했다.

그러다 광주 갱단의 빌딩이 육안으로 확인이 될 무렵 열을 맞추고 있던 광주 시민군이 건물들 사이사이 골목으로 흩어져 광주 갱단의 빌딩을 향해 달리기 시작했다. 나는 광주 시민군이 흩어짐과 동시에 광주 갱단의 빌딩의 비상구를 찾아 달리기 시작했다.

시민군이 흩어지고 얼마 안 지나자 광주 갱단의 빌딩에서도 녀석들이 쏟아져 나오기 시작했다. 엄청난 수였다 아마 다른 거점에 있던 병력도 전부 이곳에 모인 듯했다. 그 병력은 바로 시민군과의 싸움을 시작했다.

총성이 미친 듯이 울려 퍼지고 화염병이 날아다녔으며 비명과 고통의 소리가 광주 곳곳에서 울려 퍼졌다. 당장이라도 돕고 싶었지만… 작전을 성공시키기 위해 어쩔 수 없이 시민군을 뒤로하고 빌딩을 향해 달리기 시작했다.

그렇게 빌딩의 비상구를 찾아 달리고 있을 때였다. 갑자기 아이비에게서 메시지가 왔다. 설마… 무슨 위험한 일이라도 생긴 걸까? 나는 한 건물 위에서 멈춰선 후 바로 커뮤니티를 열어 아이비의 메시지를 확인했다.

[이제 보면 왜인지는 모르겠는데 갱단들은 빌딩을 참 좋아하는 거 같아요. 그렇지 않아요? 부산 울산 그리고 여기 광주까지 죄다 빌딩이잖아요!]

…나는 그냥 답장하지 않기로 하고 다시 비상구를 찾아 달리기 시작했다. 그러자 또 몇 분 후 아이비에게서 메시지가 날아왔다.

[아무리 급한 상황이라고는 해도 읽씹하는건 좀 아니지 않아요?]

나는 그냥 커뮤니티를 차단해버리고 비상구를 찾아 달렸다. 그렇게 한참을 건물 위를 뛰어다니다가 빌딩의 오른쪽 벽에 작은 문 하나를 발견했다. 저것이 비상구인 것 같았다. 문 앞으로 가서 차단해놨던 커뮤니티를 다시 확인해봤다.

[안 읽은 메시지 +56]

이게 무슨… 나는 메시지를 하나하나 확인해봤다.

[여기 냉장고에는 아무것도 없네요. 원래 이런 첩보영화에서 해커 역할을 맡는 사람은 음료수 하나 끼고 있어 줘야 제맛인데]

[아님 말고요 사실 그냥 음료수 먹고 싶어서 방금 지어낸 말이에요]

[아 거기서 오른쪽으로 가면 더 빨리 갈 수 있을 거예요]

[아니 거기 말고요 왜 그쪽으로 가시지;;; 메시지 안 봐요?]

[아 거기 맞아요. 그리고 좋은 소식 하나를 전해드릴까요?]

[여기 냉장고는 전원이 안 들어 와있었던 옛날 냉장고였고 옆방에 다른 냉장고가 있었어요]

[그곳에는 무려 콜라 한 병이 그냥 있더라고요. 기분이 좋아졌…]

…더 읽지 않기로 했다. 그렇게 건물을 들어가려 했는데 아이비에게서 커뮤니티를 통해 전화가 왔다.

"아아 아저씨 잘 들리죠?"

"그래 잘 들린다."

"다행이다 방금 EMP 공격이 또 날아왔었거든요? 그런데 확실히 잘 버티는 거 같아 다행이네요"

"그렇군"

아이비가 말하다 갑자기 잊고 있던 것이 생각난 투로 말했다.

"아 맞다! 근데 아저씨 제 메시지 왜 답장을 안 해주셨어요? 아니 몇 번 읽으시더니 나중에는 아예 읽지도 않으시던데"

"…네가 잘 생각해봐라. 네가 보낸 메시지 하나하나가 다 답장이 필요할 만큼 중요한 메시지였는지"

"음… 다는 아니지만 몇몇은 중요했다고 생각하는데요"

"뭐 냉장고에서 콜라 꺼낸 거?"

"뭐 그것도 그거지만 제가 방향을 얼마나 열심히 알려드렸는데 결국 엄청나게 돌아서 도착했잖아요"

"진짜 보면서 얼마나 답답했는지 방금 찾은 콜라 한 병을 다 마셔버렸어요"

"그냥 핑계잖아"

"뭐가요"

"네가 그냥 콜라 한 병을 다 마셔버렸다는 사실을 내가 답답해서 그랬다는 걸로 생각하고 싶어 하는 거 아니냐"

"…"

"왜 답이 없지"

"그냥 빨리 들어가자구요 빌딩의 정면에서 얼마나 치열한 전투가 벌어지고 있는지 알아요?"

"지금 나랑 장난 하는 건가?"

"장난 아닌데요. 사실인데"

"아니… 하… 그래 알겠다."

나는 그냥 건물 안으로 들어가기로 했다… 건물 안으로 들어가자 아무것도 보이지 않았다. 너무 어두워 저 멀리에 있는 비상구

표시만이 보일 뿐이었다. 그제야 이해가 됐다 마태호가 아이비를 날 돕게 한 이유가 나는 아이비에게 건물 내부 안내를 부탁했다.

"아이비 여긴 너무 어둡군, 날 안내해라"

내가 말하자 프로그램 넘어 급하게 병을 닫는 소리가 들리더니 이후에 아이비가 말했다.

"어… 어둡다고요? 그럴 리가… 아 이 녀석들 EMP를 쏘면서 자기들도 그 EMP에 당한 거 같아요. 그래서 어두운 것 같네요"

그렇게 말한 아이비가 갑자기 자신감에 가득 찬 목소리로 소리쳤다.

"그래도 걱정하지 말아요! 아저씨의 바로 곁에는 제가 있으니까! 아주 확실하게 안내해줄게요"

"굳이 따지자면 바로 곁에 있는 건 아니지"

"그게 무슨 소리예요…? 아니…"

이곳에 들어오기 전에 있었던 일을 복수하고 싶어서 조금 억까했다.

"아저씨는 가만 보면 참 이상한 거 같아요. 가끔 이해가 안 되는 말을 하실 때도 있고 진짜…"

"조용히 하고 안내나 해라"

"허 알겠어요. 네 저만 아주 확실하게 믿으라고요. 아주 확실하게…"

아이비가 말을 꼭 두고 보자는 투로 말했다. 무언가… 큰일이 난 것 같다.

***

"자 잘 듣고 가셔야 해요"

아이비가 안내를 시작했다.

"그러니까요…"

"뭐하나 빨리 설명 안 하고"

"그러니까…"

어째서인지 방금과는 다르게 아이비가 의기소침해져서 안내를 못 하고 있다.

"뭐냐 인제 와서 자신 없어진 건가?"

"네? 뭐요? 알겠어요! 안내하면 되잖아요!"

아이비가 내 말에 발끈하며 설명을 시작했다.

"그러니까요 앞으로 가요!"

나는 아이비의 말을 따라 앞으로 갔다. 한 걸음… 두 걸음… 세 걸…음을 가려 했는데 바로 앞의 벽에 부딪혔다. 나는 바닥에 주저앉아 아이비에게 소리쳤다.

"앞으로 가라면서 집중 안 하는 건가?"

"아니!! 아이 적당히 가셨어야죠!! 아… 씁 그래요 다시 한번 해봅시다. 일단 거기까지는 잘 가셨어요. 이제 거기서 왼쪽으로 좀만 이동하면 돼요"

나는 다시 자리에서 일어나 아이비의 말에 따라 옆으로 한발… 또 또 벽에 부딪혔다. 나는 아이비에게 분노하며 말했다.

"아이비! 너 지금 이거 일부러 그러는 거냐? 아까 일 때문에? 그런 사소한 일 때문에 지금 여기서 시간을 낭비하고 있을 수는…"

"아니!!! 일부러 그러겠어요??? 아니…"

"그럼 왜 그러는 건데? 지도는 확실하게 있는 거 맞나?"

"아… 그냥 사실대로 말할게요? 지도가 1층부터 꼭대기인 9층까지의 지도가 전부 겹쳐져 있어서 딱 한 층의 구조를 파악 못할 것 같아요! 각 층 지도를 분리해서 따로 보는 기능이 있는 건 분명한데 그걸 지금 어떻게 하는지를 알 수 없어서… 좀만 기다려 주세요!!"

"아… 하… 일단 알겠다…"

나는 아이비가 1층의 지도를 따로 분리해 낼 때까지 이곳에서 대기하기로 했다. 하지만 그때 뒤에서 누군가가 다가오는 소리가

188

들렸다. 소리로 구분할 땐… 약 3명이 다가오고 있는 듯하다. 나는 아이비와의 전화를 끊고 조용히 숨을 죽였다.

"여기서 무슨 소리가 들린 것 같은데?"

"잘 찾아봐 혹시 여기로도 잠입한 녀석들이 있을 수도 있어, 야 너 저기 한번 가봐"

소리를 듣고 녀석들의 위치를 파악한 후 녀석들의 뒤로 조용히 이동해 한 놈의 목을 잡아 질식시켰다. 이 녀석들 머리에 무언가를 쓰고 있다… 자세히 보니 야간투시경이었다. 나는 질식시킨 녀석의 야간투시경을 뺏어 착용했다… 이제야 좀 살 것 같았다.

"…"

"… 야? 왜 대답을…"

"너 이 자식 뭐야!!!"

그때 내가 질식시킨 녀석이 답하지 않자 이상함을 느끼고 옆을 본 갱단원 2명이 날 발견하고서는 소리쳤다. 나는 등에서 검을 뽑아 녀석들의 목만 빠르게 베어냈다. 그렇게 놈들을 처리하고 나자 아이비에게서 다시 전화가 왔다.

"아저씨 드디어 지도를 분리했어요! 이제 1층부터 9층까지 다 각각 볼 수 있게 됐어요"

"그것참… 빠르게 됐구나"

"자 이제 다시 안내해 드릴게요! 어? 그런데 아저씨… 방금과는 위치가 좀 달라지셨네요…?"

아이비의 말에 나는 처진 목소리로 답했다.

"이제 어디로 움직이라는 안내는 됐고… 어디에 올라가는 길이 있는 거지?"

"어? 왜요 무슨 일 있었어요?"

"그냥 내가 시키는 대로 해라"

"아 네 뭐… 알겠어요. 올라가는 길은 두 곳이 있는데 계단으로 올라가거나 엘리베이터를 이용하는 것도 있어요"

"근데 엘리베이터는 지금 작동하지 않으니… 계단으로 갈 수밖에 없겠네요"

또 계단… 계단만 생각하면 울산의 그 마천루가 떠오른다… 다리가 아직도 저려오는 느낌이었다.

"그래도 울산보다는 낫잖아요? 거긴 140층이었고 여기는 고작 9층이니까…"

그래 그게 그나마 좋은 점이군…

"일단 알겠다 필요한 일이 있으면 다시 전화하마"

내가 전화를 끊으려 하자 프로그램 넘어 아이비의 다급한 목소리가 들려왔다.

"왜요? 그냥 계속 전화 연결해두면 안 돼요?"

"그럼… 너 또 쓸데없는 말 할거잖냐"

"아 진짜 안 할게요. 조용히 딱 필요한 거 말씀해주시면 딱 딱 꺼내서 팍 알려주는…"

"아 진짜 조용히 있을게요"

"하… 그래 뭐 맘대로 해라. 대신 쓸데없는 말 하는 순간 끊어버릴 테니 그렇게 알아라"

"넵~"

나는 일단 주위를 둘러봤다. 비상구가 있는 곳은 거대하지만, 아무것도 없는 그냥 네모난 공간이었다. 나는 방금까지 아이비의 설명을 듣고 이 공간의 구석에서 벽에 들이받고 있었던 것 같다…

우선 야간투시경을 얻었기에 녀석들이 들어왔던 곳을 통해서 비상구가 있는 곳을 빠져나왔다. 그러자 바로 이 빌딩의 로비가 나타났다. 이곳의 갱단원들은 대부분 밖으로 나가 시민군과 전투 중인지 로비에는 아무도 보이지 않았다.

"아저씨 1층 로비 들어가셨네요?"

프로그램 넘어서 아이비의 의심스러운 목소리가 들려왔다.

"그래"

"아니 근데 전부터 좀 이상했는데요"

"또 뭐냐"

"앞이 보여요?"

"뭐?"

"아니 방금까지만 해도 어두워서 안 보이신다고 하셨었는데 제 안내도 없이 로비로 가신 것이 좀 이상해서요…"

"아 그거 말이냐"

"아까 공격해 온 놈들이 머리에 야간투시경을 끼고 있길래 뺏어서 썼다"

"공격해 온 놈들…? 누가 공격했었어요?"

"그… 아 아니다 그래 공격해왔었다"

"아~ 그래서 방금 전화를 잠깐 끊으셨었구나 그럼 그랬다고 말씀하시면 되지 왜 그런 상황을 숨기는 거예요?"

아이비의 계속된 질문에 점점 짜증이 나기 시작했다.

"내가 이런 거 하나하나까지 너한테 다 말해야 하나?"

"아니 작전에 같이 협력하게 됐으면 그런 상황이 있을 때는 공유를 해야 하는 거 아니에요?"

내가 신경질적인 목소리로 답하자 아이비가 방금보다는 조금 기세가 꺾인 목소리로 답했다.

"네가 뭘 안다고 계속 그렇게 떠드는 거지"

"아니"

"그냥 조용히 있어라. 전화를 끊어버리기 전에"

"네! 알! 겠! 어! 요!"

내가 계속해서 짜증 섞인 목소리로 말하자 아이비가 상당히 삐진 목소리로 소리쳤다. 인제 와서 너무 강하게 말한 것 같아 조금 후회가 되긴 했으나 그래도 한번 강하게 말해야 하기는 했다. 그래도 좋은 점은 이후로 아이비는 상당히 조용해졌다.

아이비가 조용해지고 나는 로비를 좀 더 조사해 보기로 했다.

로비는 그렇게 많은 것이 있지는 않았다. 건물 입구에서 정면으로 좀 걸어가면 나오는 안내데스크와 정문과 안내데스크 사이에 소파 여러 개가 전부였다.

무슨 의도로 이런 식으로 건물을 만들어 논거지? 나는 무언가 숨겨져 있는 것이 분명히 존재할 거라 생각하고 1층을 샅샅이 뒤져보았다. 하지만 이상한 점이라고는 단 하나도 보이지 않았다. 그냥 진짜 안내데스크와 소파들 뿐이었다.

"1층에는 무언가 특이한 건 없어 보인다."

내가 말하자 프로그램 넘어 아이비의 작은 목소리가 들려왔다.

"다음 층 가봐요. 깜짝 놀랄걸요"

"뭐? 그게 무슨 말이야?"

내 물음에 아이비는 아무런 답도 하지 않았다. 이후로 몇 번 더 아이비를 불렀지만 역시나 답이 없었다. 많이 삐진 듯했다.

결국 나는 비상구의 정 반대 벽에 있는 문을 열었다. 그러자 계단이 내 눈앞에 펼쳐졌다. 나는 한숨을 내쉬고서 계단을 올라 2층으로 향했다. 그리고 2층에 도착해 문을 열고 2층으로 들어간 순간… 눈앞에 믿을 수 없는 광경이 펼쳐졌다.

아무것도 없었던 아래층과 다르게 이곳에서는 거대한 공장에서나 볼법한 기계들이 늘어서 있었고 그 앞에는 거대한 레일이 늘어져 있었다. 그 기계들은 EMP의 영향으로 작동을 멈춘 듯했다. 가까이 다가가서 레일 위에 있는 무언가를 살펴보니 그 기계들은 전부 총과 총알들을 제작하고 있었다.

"이게 무슨…"

아무것도 없었던 그냥 평범한 모습이었던 1층과는 차원이 다른 모습에 말이 잘 나오지 않았다. 내 반응을 보고 프로그램 넘어 아이비의 작은 웃음소리가 들려왔다… 솔직히 짜증 났다.

"아이비 이게 다 뭐지?"

내 물음에 아이비는 조금 더 웃다가 입을 열었다.

"저야 모르죠. 그런데 위층들은 다 그런 식으로 되어있을 거예요. 내부구조가 다 비슷비슷하거든요"

"그나마 좀 다른 구조는 꼭대기 층 9층만 좀 다른 구조네요"

"그 말은 즉… 9층 빼고 나머지 위층들은 다 이런 식으로 기계들이 깔려있을 거라고?"

"그렇죠. 뭐"

여기 갱단은 도대체 뭘 하는 녀석들인 거야?

"그래 일단 알겠다 고맙군"

나는 아이비에게 감사인사를 하고 이 층의 계단을 타고 위층으로 계속 올라가려 했다. 문뜩 든 생각이지만 이 건물의 계단은 참 이상했다. 한 계단으로 끝까지 한 번에 올라갈 수 있는 것이 아닌 매 층마다 반대쪽에 다른 계단이 있었다. 그래서 계속해서 왔다 갔다 하면서 올라가야 했다.

…굉장히 비효율적이고 짜증나는 구조였다.

***

그렇게 올라가면서 5층에 도달했을 때였다. 이곳에서는 굉장히 날카로운 검들을 만들고 있었다. 검 끝에 달려있는 장치를 보아 내 검과 같이 플라즈마를 이용한 것 같았다.

그렇게 이번 층도 지나 다음 층으로 올라가려 했는데… 갑자기 계단으로 가는 문이 닫혔다. 그리고 뒤에서 무언가 소리가 들렸다.

내가 뒤를 돌아보자 복면을 쓴 갱단원 8명이 기계의 앞에 놓여 제작 중이던 검들을 들고 날 노려보고 있었다.

"하아…"

나는 등에서 검을 뽑아 들었다. 검은 아이비가 설치해뒀던 EMP 방어체제 덕분인지 플라즈마가 정상적으로 방출되었다. 이후 내가 녀석들을 노려보자 녀석들은 상당히 당황한 듯했다. 아마 몰랐겠지 내 검에 EMP 방어체제가 설치되어 있었을 줄은 하지만 그래도 녀석들은 나와 싸우려고 자세를 잡았다. 나도 검으로 녀석들을 벨 준비를 했다. 그때 내 오른쪽에 있던 기계 뒤에서 한 놈이 튀어나와 내게 검을 휘둘렀다. 녀석들의 검에는 플라즈마가 활성화되지 않았다. 아직 완성형이 아니거나 EMP의 영향을 받는 듯했다.

나는 기습한 녀석의 검을 내 검으로 가볍게 튕겨낸 후 녀석의 몸을 베었다. 그러자 다른 녀석들도 내게 한 번에 달려들기 시작했다. 그러자 이 소리를 들었는지 프로그램에서 다급한 아이비의 목소리가 들려왔다.

"있다가 다시 전화하마"

나는 우선 커뮤니티 프로그램을 종료시켜 아이비와의 통화를 끊은 후 본격적으로 전투에 돌입했다.

우선 옆에 미완성된 검들이 널브러져 있는 제작 레일이 올라섰다. 그리고 레일에 있는 검 하나의 손잡이를 발로 강하게 내리쳐 위로 띄운 후 그 검을 잡아들었다. 그리고 내 앞에 서 있는 놈의 양팔을 빠르게 베어낸 후 목을 베었다.

이번엔 두 명에서 내게 검을 휘둘렀다. 검 두 개로 그 둘의 공격을 막은 후 우선 다른 한 명의 배를 발로 찼다. 이후 그놈이 고통스러워 할 때 자유로워진 검으로 다른 녀석의 배를 베었다. 그리고 고통스러워 하고있는 녀석의 목을 베었다.

"4명째"

내가 죽인 놈들의 수를 세자 나머지 4명은 공포에 질린 것 같았다. 나는 놈들의 얼굴 하나하나를 둘러보고서는 낮은 목소리로 말했다.

"어떻게 할래? 지금이라도 1층 소파에 조용히 앉아있다면 목숨은 살려주겠다."

내 제안 녀석들의 얼굴은 바로 밝아지더니 아래로 내려가는 계단으로 향하기 시작했다. 얼굴이 밝아지는 것이… 복면을 쓰고있어도 다 보였다.

"검은 여기 두고 가야지"

내가 또 낮은 목소리로 말하자 녀석들은 검을 던져버리고는 빠르게 아래로 내려갔다. 모든 상황이 종료되고 나는 커뮤니티 프로그램을 통해 아이비에게 연락했다. 신호를 보낸 지 약 5초도 안 돼서 아이비가 연락을 받았다.

"아저씨 무슨 일이 있었던 거예요?"

"그냥 좀 싸움이 있었다 큰 싸움은 아니었어 신경 안 써도 된다."

"아… 네 뭐 알겠어요. 이제 4층 남았어요! 빨리 올라가자구요"

"그래"

나는 아이비와 짧은 대화를 마치고서 다시 계단을 오르기 시작했다. 확실히 방금 강하게 말해둬서인지 아이비가 묻는 수가 줄었다… 좋네

그렇게 여러 층을 또 오르고 올랐다. 그렇게 해서 도착한 9층, 9층의 문을 열고 들어가려 한 순간… 갑자기 문을 뚫고 미친 듯이 총알이 날아오기 시작했다.

나는 바로 문에서 떨어져 계단으로 몸을 피했다. 미친 듯한 총소리가 프로그램을 통해 들렸는지 아이비가 비명을 지르며 물었다.

"지금 이거 총소리예요?"

"그래"

"그… 몸조심해요! 제가 도울 수 있는 건 없나 좀 찾아볼게요"

아이비가 다급하게 말했다. 나는 아이비에게 이 건물의 조사를 맡기려 하였으나 머릿속에 하나가 스쳐 지나갔다.

그러고 보니… 프로그램으로 조사할 수 있지 않을까?

나는 프로그램 중에서 적의 위치 파악 프로그램을 찾으려 했다. 하지만 아무리 찾아봐도 그런 프로그램이란 존재하지 않았다. 전

군용 프로그램에서는 존재했었는데… 나중에 아이비에게 부탁해야겠다.

그때 딱 총알 세례가 멈췄다. 문 쪽을 바라봤는데 문은 흔적도 없이 사라졌다. 그리고 문 앞의 벽은 딱 문 모 양으로 구멍이 뚫려있었다. 나는 조심스럽게 문이 있었던 곳으로 9층의 내부를 들여다봤다.

그곳에는 한 책상과 한 의자 그리고 양팔에 연기가 피어오르고 있는 거대한 기관총을 들고 거친 숨을 내쉬고 있는 거대한 덩치를 가진 한 남자가 서 있었다. 나는 문이 있었던 곳을 지나 9층으로 진입했다. 땅을 바라보고 거친 숨을 내쉬고 있던 그 남자가 고개를 들어, 내 얼굴을 바라봤다. 그러고서는 얼굴에 미소를 띠었다.

"뭐야 살아있었네?"

나는 입을 다물고서 그를 조용히 바라봤다. 그 남자에게서 딱히 특별한 것은 없었다. 그나마 찾아본다면 엄청난 덩치와 양팔에 들고 있는 거대한 기관총…이 전부였다.

"눈치가 꽤 좋은가 봐?"

그 남자는 웃으며 말했다. 이후 그 남자는 자신의 양 기관총에 달려있던 괴상하게 생긴 탄창을 분리하고 새로운 탄창으로 교환했다. 방금 총알 세례가 약 30분간 쉼 없이 미친 듯한 속도로 쏟아져 내렸던 것을 생각하면… 탄창의 용량은 엄청나 보였다.

"그래, 꽤 좋은 편이지"

내 답에 그 남자는 "하하"라며 짧게 웃더니 진지한 표정으로 날 바라봤다. 나는 주위를 둘러보며 그 남자에게 조심스럽게 물었다.

"네가… 이곳을 이끄는 리더인가…?"

내 질문에 그 남자는 자신의 거대한 기관총 두 개로 허공을 가리키고서는 말했다.

"그래 내가 이곳을 이끄는… 송현태다"

"나한테 무슨 볼일 있나?"

송현태가 이후 내게 자신의 양 기관총을 겨누었다. 나는 등에서 검을 뽑으면서 말했다.

"내 딸에 대한 정보를 알고 있나?"

"뭐? 네 딸? 그걸 왜 나한테 묻는 거지? 난 아는 게 없다"

"그런가… 그럼 너도 아닌가 보군"

"그럼… 볼일은 끝난 거겠지"

말을 마친 송현태가 다짜고짜 내게 자신의 양팔에 들고 있던 기관총을 난사하기 시작했다. 나는 송현태의 주위를 크게 원을 그리면서 돌아 송현태의 총알들을 피했다. 그러다 멈춰서 검을 이용해 송현태의 총알들을 튕겨냈다. 그러자 송현태가 난사를 멈추고 상당히 놀란 표정으로 날 바라봤다.

"너… 검을 꽤 다루는 녀석이구나?"

"그래"

"그럼 더 재밌어지겠군. 자 이것도 한번 당해봐라…!!!"

송현태가 내게 다시 기관총을 미친 듯이 퍼붓기 시작했다. 총을 튕겨내기는 쉽지 않다. 나는 조금 튕겨내다 다시 송현태의 주변을 돌기 시작했다.

"으하하하하하!!!"

송현태는 총알을 퍼부으면서 미친 듯이 웃어댔다. 나는 송현태의 주위를 돌면서 점점 송현태에게 다가갔다. 그리고 충분히 가까워졌을 때 녀석의 목을 향해 검을 뻗었다.

하지만 송현태는 그런 내 검을 자신의 기관총으로 막아냈다.

"오오. 내 목을 노리다니 나한테 이 정도로 접근한 건 네가 처음이다!!"

송현태는 한껏 흥분한 목소리로 외치더니 기관총을 휘둘러 내 검과 나를 밀어냈다. 이후 다시 내게 기관총을 난사하기 시작했다.

밀려난 나는 미친 듯이 쏟아지는 총알을 피해 다시 달릴 수밖에 없었다. 내가 피한 총알은 9층의 벽을 뚫고 창문을 깨고 밖으로도 쏟아져 내렸다. 그 밖으로 날아간 총알들이 시민군들이 맞기라도 한다면… 더 큰 피해가 일어날 거다 저 총을 어떻게든 막아야 한다.

우선 나는 옆에 있던 의자를 집어 녀석의 얼굴을 향해 던졌다. 하지만 그 의자는 3초 만에 송현태가 발사한 총알들에 갈려서 흔적도 없이 사라져 버렸다.

"그런 허접한 공격으로는 자한테 생채기 하나도 못 낸다고!!!"

결국 나는 또 총을 피해서 달릴 수밖에 없었다. 그러다 허리에 있던 권총을 꺼내 녀석의 머리를 향해서 조준한 후 방아쇠를 당겼다.

달리면서 발사해서 그런지 발사한 3개의 총알 중 2개의 총알은 빗나갔지만 하나의 총알이 녀석의 오른쪽 눈 옆을 스쳤다. 그러자 당황한 송현태가 오른쪽 기관총을 바닥에 던져두고 눈 옆의 상처를 어루만졌다.

"피…? 내가… 피를 흘렸다고…?"

피를 본 송현태의 표정이 점점 일그러지더니 얼굴이 붉어졌다. 그러더니 방금 던져놨던 기관총을 다시 들고서는 크게 소리쳤다.

"그 개X끼야!!! 넌 날 잘못 건드린 거야!!!"

송현태가 격분하며 다시 내게 총을 난사해대기 시작했다. 송현태가 하는 공격은 총 난사가 전부였지만 생각보다 굉장히 까다로웠다. 그렇게 또 총을 피하며 송현태의 돌고 있을 때였다. 갑자기 송현태가 난사를 멈췄다.

"어?! 이런 씨!!"

그때 송현태가 탄창을 분리하고 새 탄창으로 갈아 끼우려고 하였다. 나는 그 틈을 타 옆에 있던 총알로 인해 반으로 갈라진 책상의 한쪽을 녀석의 머리를 향해 던졌다. 이후 나머지 한쪽도 머리를 향해 던졌다.

그 책상 두 쪽은 전부 총을 장전 중이던 송현태의 머리에 적중했고 송현태의 머리에서 더 큰 상처가 생겨 많은 피가 흘러내렸다. 그러자 송현태는 더 격분하며 총을 장전한 후 소리쳤다.

"내 몸에 이런 상처를 낸 건 네가 처음이다!!!"

"네놈을 무조건 벌집으로 아니 총알 세례로 온몸을 갈기갈기 찢어버리겠어!!!"

나는 그런 송현태를 피해 계단을 타고 8층으로 향하였다.

***

그렇게 8층에 도착했을 때 갑자기 천장이 무너졌다. 그리고 그 무너진 천장으로 송현태가 내려와 8층의 작업 레일에 착지했다.

"어딜 도망가 쥐새끼 같은 놈이"

이후 송현태가 미친 듯이 또 총알을 쏘아대기 시작했다. 나는 그 총알 세례를 피해 도망치려 했으나… 달리기 시작한 내 앞에 송현태의 기관총이 있었다. 결국 나는 그 기관총에 얼굴을 부딪쳤고 그대로 쓰러졌다.

"총만 쏠 줄 알았냐?"

이후 송현태가 옆에 있던 기계 하나를 뽑아 들더니 그 기계로 나를 내리치려 하였다. 나는 옆으로 굴러 기계를 피해내고 바로 일어난 뒤 송현태를 향해 검을 여러 번 휘둘렀다. 송현태는 내 검을 자신의 양 기관총으로 막아내다가 내게 다시 총을 쏘아대기 시작했다.

나는 급하게 주위에 있던 기계의 뒤로 숨어들었다. 하지만 그 기계도 송현태의 총알 세례를 오래 버티지 못하였다. 나는 결국 기계의 뒤에서 빠져나와 다시 달리기 시작했다.

이 층은 뭘 제작하고 있었던 거지? 나는 기계들의 앞에 있는 작업 레일을 살펴봤다. 작업 레일에는 이상한 장치들이 깔려있었다. 어디서 많이 본 모양인데… 어디서 봤더라… 하지만 지금 그걸 생각하면서 낭비할 시간은 없었다.

송현태는 언젠가 무조건 총알이 떨어져 재장전 시간이 필요할 것이다. 그 타이밍 노려야 한다. 나는 그 타이밍을 기다리면서 송현태의 총알을 피해 작업 레일의 위를 뛰어다녔다. 그리고 드디어 송현태의 총알 세례가 멈췄다.

나는 바로 검을 들고 송현태에게 뛰어들려 했으나 갑자기 작업 레일이 움직이기 시작해 제대로 뛰지 못하고 넘어졌다. 작업 레일이 왜 움직인 거지? 그때 아직 끊기지 않은 커뮤니티 프로그램에서 아이비의 목소리가 들려왔다.

"아저씨!"

"아이비 이게 어떻게 된 일이지?"

"방금까지 광주를 뒤덮고 있던 EMP 파동이 사라졌어요! 아마 확실하진 않은데 EMP 장치가 과부하에 걸려 작동을 멈추게 된 거 같아요"

"알았다"

이 건물의 불이 켜지고 작업 레일과 기계들이 정상 작동하기 시작했다. 송현태는 미소를 짓고 있었다. 뭐지? 왜 미소를 짓고 있는 거지? 그때 송현태가 웃으며 말했다.

"이제야 꺼졌군"

"뭐…?"

"보여주마 내 숨겨진 무기를"

그러자 송현태의 등에서 두 개의 총같이 생긴 무언가가 나타나더니 송현태의 어깨에 올려졌다. 자세히 보니 저건… 레일건…? 레일건을 만드는 기술까지 가지고 있었던 건가?

이후 얼마 안 지나자 그 레일건에서 전기가 새어 나오고 있었다. 무언가 불길한 느낌이 든다.

"전기구이로 만들어주지!!!"

이후 녀석의 외침과 동시에 녀석의 어깨에 있던 레일건에서 전기가 발사됐다. 전기가 발사됨과 동시에 이 층의 불이 꺼졌다 켜졌다. 나는 가까스로 전기를 피해냈지만, 전기는 땅에 닿자 주변으로 전기를 내뿜으며 폭발했고 그 폭발에는 휘말렸다.

순간 내 눈 속의 프로그램이 꺼졌다 다시 켜졌다. 아이비와의 전화도 끊겼다 다시 걸렸는지 아이비가 다급하게 말했다.

"아저씨 무슨 일이에요?"

"아냐 있다가 설명하겠다."

나는 전기를 맞고서는 조금 어지러웠지만, 정신을 다잡고서 송현태를 노려봤다. 송현태는 양어깨의 레일건을 충전하면서 말했다.

"어떠냐 이 레일건의 맛이!! 무려 20년의 개발기간을 거쳐 소형화에 성공하고 내 몸에도 이식에 성공해냈지!!"

"자 이제 더 보여주마 거기서 딱 서서 기다리고 있으라고!!"

송현태는 레일건을 충전하는 동안에 기관총을 미친 듯이 쏴대기 시작했다. 나는 어쩔 수 없이 다시 총을 피해 달렸다.

이제 언제 타이밍을 잡아야 할지 감이 오지 않는다. 기관총이 장전 중일 때 이제 송현태는 레일건을 발사할 것이다. 일단 나는 다시 아래층으로 내려가기 위해 계단을 찾아 달렸다.

달리는 내 앞에 송현태가 뛰어들더니 방금과 같이 내 얼굴을 기관총으로 후려쳐 막으려 하였다. 하지만 나는 이번엔 기관총의 아래로 슬라이딩을 해 송현태의 기관총을 피하고 계단으로 달려가 송현태를 피해 아래층으로 내려갔다.

이후 내려온 7층 이번에도 역시나 천장이 무너졌고 송현태가 내려왔다.

"넌 도망갈 수 없다니까? 자꾸 어딜 가는 거야?"

나는 내려오자마자 이번 층에서는 무엇을 제작하는지 살펴보았다… 수류탄? 진짜 이 건물은 철저히 무기만을 만들기 위해 만들어진 건물이군

나는 주위의 작업 레일에서 수류탄 하나를 아무거나 집어 들어

핀을 뽑은 후 송현태를 향해 던졌다. 하지만 그 수류탄은 송현태의 몸에 맞고 바닥에 떨어진 후 몇 분을 지나도 터지지 않았다.

"작업 레일에 있는 수류탄은 아직 미완성들이거든"

송현태는 그렇게 말하며 다시 내게 기관총을 미친 듯 쏘아대기 시작했다. 나는 도 총알을 피해 달리며 완성된 수류탄들이 어딨는지 살펴보았다. 그때 작업 레일의 끝에 수상해 보이는 상자 여러 개를 발견하였다.

나는 송현태의 총을 피하며 조심스럽게 그 상자를 향해 다가갔다. 너무 노골적으로 다가가면 송현태가 눈치를 챌 것 같기에 적당히 연기를 하며 상자로 다가갔다. 그리고 상자와 충분히 가까워졌을 때 상자 하나를 잡아 송현태를 향해 던졌다.

"으악? 이 자식이!!!"

그 상자는 송현태에게 날아가다 역시나 송현태의 총을 맞고 파괴됐다. 그러자 그 상자 안에서 수십 개의 수류탄이 쏟아져 나왔다. 송현태의 총알은 그 수류탄들을 맞추었고 결국 수류탄 수십 개가 한 번에 폭발했다.

7층은 수류탄의 폭발로 순식간에 난장판이 되었다. 폭발로 일은 연기로 인해 시야가 가려졌다. 나는 폭발이 일어나기 전 송현태가 서 있던 곳으로 권총을 발사했다. 그러자 연기 속에서 송현태의 비명이 들려왔다… 저기 있군

나는 바로 비명이 들려왔던 곳으로 달려갔다. 그러자 송현태의 뒤통수가 나왔다. 나는 송현태의 등에서 나온 레일건 하나를 검으로 베어 송현태에게서 떨어뜨렸다. 이후 송현태가 나를 돌아봤다.

"여깄었구나!!"

나는 검을 겁 집에 넣어 놓고 바로 떨어진 레일건을 집어 들었다. 그리고 스위치처럼 생긴 무언가를 누르자 레일건에서 전기가 발사되었다. 그 전기는 송현태의 몸에 그대로 적중했고 송현태는 상당히 고통스러워했다.

이후 나는 레일건 한 방을 더 맞추려 하였으나 송현태가 수류탄 상자 여러 개가 있는 곳에 총을 쏴 모든 수류탄을 폭발시켰다.

그러자 그 폭발의 충격으로 인해 7층의 바닥도 무너지며 나와 송현태는 6층으로 떨어지게 되었다. 나는 떨어지면서 레일건을 멀리 던져놓고 다시 등에서 검을 빼 들었다. 송현태는 방금까지 보이던 웃음기가 완전히 사라진 상태였다.

이번 층에서는 대검을 만들고 있었다. 그 대검의 크기는 내가 들고 있는 검의 2~3배는 되어 거의 내 몸만 했다. 천장이 무너지면서 일은 연기 사이에서 송현태가 모습을 드러내며 내게 말을 걸어왔다.

"이봐 너 좀 싸우는 거 같군… 날 이렇게 몰아세우다니 어디 출신인지 모르겠지만 일단 선수인 건 알겠어."

"내가 제안 하나를 하지"

"나와 함께 일하지 않겠나? 돈은 내가 충분히 주도록 하지 여기서 무기를 만들어서 다른 조직 녀석들에게 팔아넘기면 수입이 꽤 들어온다고?"

"그 수입의 50%를 네게 주겠다 어때? 좀 혹하지 않는가?"

송현태가 억지로 미소를 지으며 내게 제안을 해왔다. 그때 프로그램에서 아이비의 작은 목소리가 들려왔다.

"아저씨 저 제안에 넘어가는 거 아니죠?"

"뭐?"

"전 아저씨를 믿고 있어요"

"아니…"

이후 아이비는 다시 조용해졌다. 나는 검으로 송현태의 목을 가리키며 말했다.

"돈은 필요 없다"

"그럼 원하는 게 뭐지…? 다 주겠다."

"아니 내가 원하는 건 네가 줄 수 없는 거야"

"…이 개자식!!"

송현태가 다시 총을 쏘아대기 시작했다. 하지만 총알이 얼마 안 남았었는지 20발 정도 발사하더니 총이 멈췄다. 이후 송현태는 당황한 표정이었다. 송현태는 장전하려 했으나 더 이상 여분의 총알은 없었다. 나는 송현태가 발사했던 총알 20발을 전부 검으로 튕겨낸 후 송현태에게 한 걸음 한 걸음 다가갔다.

"으아아아아아!!!"

송현태는 기관총의 방아쇠를 더 당겨보다 기관총을 바닥에 던져 놓고 레일건을 내게 조준했다. 나는 빠른 속도로 송현태에게 달려가 레일건을 베어 떨어뜨렸다. 이후 떨어진 레일건을 아예 반으로 잘라버려 사용할 수 없게 만들었다.

"… 하아…"

송현태가 앞으로 무릎을 꿇으며 한숨을 내쉬었다. 나는 검을 검집에 넣어 놓고 송현태에게 천천히 다가갔다.

"결국 이렇게 되는 건가…"

"이제 끝이야."

"크하핫!!"

"?!"

송현태에게 가까이 다가갔을 때 송현태가 나를 향해 대검을 휘둘렀다. 그 공격에 나는 몸에 큰 상처를 입게 되었다.

"감히 누구 앞에서 무게를 잡고 있어? 이 개자식이!!!"

내가 몸을 베여 고통스러워할 때 송현태가 내 목을 베려고 하였다. 한 번의 방심으로… 이렇게 허무하게 가는 건가…?

그때 계단에서 갑자기 누군가가 급하게 올라오는 소리가 들려왔다. 그리고 곧이어 총소리가 들리더니 내 앞에 서 있던 송현태가 옆으로 쓰러졌다. 나는 힘겹게 고개를 들어 계단 쪽을 바라보았다.

그곳에는 아이비가 총을 든 채로 숨을 몰아쉬고 있었다. 송현태가 쓰러진 걸 확인한 아이비가 총을 바닥에 던져놓고 내게 달려왔다.

"아저씨 괜찮아요? 크게 다친 거예요?"

"아니다… 난 괜찮아…"

이후 아이비가 내 상처를 보더니 기겁하며 주위에 소리쳤다.

"헉!? 아저씨 괜찮아요? 저기요!! 여기 아무도 없어요? 저기요!! 마태호 아저씨 아무나 좀 도와줘요!!"

아이비가 주위에 소리치고 있을 때 점점 눈이 감기기 시작했다.

"어어어 아저씨!!!"

그리고 결국 나는 아이비의 마지막 외침을 끝으로 그 자리에 쓰러졌다.

***

…아빠

얼른 일어나…!!

뭐? 뭐라는 거야~!! 지금이 몇 시인데 빨리 일어나라고…!

오늘은 놀러 가준다며!!! 나랑 동물원 가준다고 했잖아~~!!

…

아빠!! 빨리 일어나…!!!

"…!!"

…눈을 뜨니 익숙하지 않은 천장이 눈에 들어왔다. 베이지색의 천장 그 천장에 그리 밝지 않은 조명이 합쳐져 굉장히 오래된 듯한 느낌을 내고 있었다. 나는 어느 침대에 누워있었다.

내가 눈을 뜨고 얼마가 안 지나자 갑자기 내 시야의 오른쪽 아래에서 아이비가 튀어나왔다. 아이비는 3초간 내 눈을 바라보더니 눈에 눈물이 차올랐다. 그리고 주위에 소리치기 시작했다.

"어어어!! 아저씨가 깨어났어요!! 마태호 아저씨!!"

아이비의 외침에 사람 몇 명이 다급하게 내 주변으로 달려왔다. 이후 이번엔 시야의 왼쪽에서 마태호와 간호사로 보이는 두 명의 모습이 보였다. 마태호는 웃으면서 내게 말을 건넸다.

"자네 드디어 눈을 떴군"

드디어…? 나는 아픈 머리를 부여잡고 힘겹게 마태호에게 물었다.

"내가… 얼마나 기절해 있었던 거지…?"

"음… 며칠 정도 됐더라?"

"5일 정도 됐어요!"

마태호의 물음에 아이비가 답했다. 5일? 내가 그 정도로 기절해 있었다고?

"아 맞아 그렇군. 5일 자네는 그날 기절하고 5일 동안 이곳에서 기절해 있었네 아마 전투의 피해와 지금까지 쌓여온 피해가 한 번에 폭발한 모양이야… 라고 우리 의료팀이 얘기하더군"

"그래도 눈을 뜨게 돼서 다행이네"

그래… 나는 그때… 송현태의 공격을 받고 기절했었다… 내 몸을 만져보니 몸에 붕대가 거대하게 감아져 있었다. 나는 마태호에게 물었다.

"어떻게 됐지?"

"뭐가?"

"우리 작전 말이야 송현태는? 갱단은 전부 소탕했나?"

"아 그거 말이면 걱정하지 않아도 된다. 송현태는 아이비가 쏜 총에 맞고 그 자리에서 그대로 사망했고 바깥에서는 시민군이 갱단원들을 전부 소탕했다네 다 잘 풀렸으니 걱정하지 않아도 돼"

"그렇군…"

나는 안도의 한숨을 내쉬고서는 침대를 일어나려 하였다. 하지만 아직도 상처가 욱신거리고 아파왔다. 아이비가 고통스러워하는 내 모습을 보더니 다급하게 말했다.

"아저씨 가만히 있어요! 상처가 좀 깊게 나서 충분히 휴식을 취해야 한다고요! 그러니 아무것도 하지 말고 그 침대에서 푹 쉬시라고요 알았어요?"

"아 그 그래 알겠다."

아이비의 강한 만류에 나는 다시 침대에 누웠다. 그러자 아이비가 내 발아래에 있던 이불까지 내게 덮으려고 하였다.

"아 아니 이불은 필요 없어 덥다"

"아 알겠어요"

내 말에 아이비는 다시 이불을 내 발아래에 몰아두었다. 그 모습을 보던 마태호가 짧게 웃더니 나와 아이비에게 말했다.

"조금 갑작스러울 수도 있겠네만 자네들에겐 진심으로 고마운 마음을 갖고 있다네 정말 고맙다."

마태호가 먼저 고개를 숙이고 인사를 하자 옆에 있던 간호사 같은 두 명도 뒤따라 인사를 하였다. 이에 당황한 아이비가 손사래를 치며 말했다.

"에이 아 아니에요. 이 정도는 저희도 저희의 목적이 있어서 했었던 일이라 그렇게 고개 숙이시고 그럴 필요는 없어요!!"

"그래도 정말 고맙네 자네들 덕에 광주를 그 흉악한 녀석들에게서 해방할 수 있었어."

"이제 우리는 자네들이 떠날 준비가 될 때까지 최선을 다해 자네들을 돕겠네"

"아 고맙습니다"

"고마워할 것 없어 이건 우리가 자네들에게 고마워서 하는 일이니까 말이야"

"그럼 우리는 먼저 가 보도록 하지 이제 광주를 정상적으로 돌려놔야 하거든."

감사 인사를 한 마태호는 다시 한번 우리에게 고마움을 표한 후 뒤에 있던 두 명과 함께 이 공간을 빠져나갔다. 나는 그제야 주변을 둘러보았다. 이곳에는 여러 개의 침대가 놓여있었고 그 침대 위에는 나와 같이 부상을 입은 자들이 휴식을 취하고 있었다.

아이비는 내 옆에서 나를 아무 말도 없이 빤히 바라보고 있었다. 그때 머리에서 하나가 떠올랐다.

"하아…"

내가 한숨을 내쉬자 아이비가 내게 물었다.

"무슨 일 있어요?"

"아니… 여기서도 딸에 대한 정보를 결국 찾지 못한 것 같아서 말이야…"

"아하…"

내 말을 들은 아이비가 잠시동안 아무 말 없이 고민에 빠졌다 그러더니 자신의 해킹도구를 꺼내 무언가를 급하게 찾아보기 시작했다. 나는 조심스럽게 몸을 들어 아이비가 무엇을 하는지 엿보았다. 그곳에는…

[광주 무등산 등산코스]라고 적혀있었다. 무등산…? 갑자기 산??? 나는 아이비에게 조심스러운 목소리로 물었다.

"저기 아이비…"

"네?"

"갑자기 무등산 등산코스는 왜 찾아보는 거지…?"

"네? 아 혹시 모르잖아요. 산을 올라 꼭대기에 올라서면 무언가 딱 생각날지"

"뭐? 지금 이 몸을 이끌고 산을 오르자고?"

내가 기겁하며 말하자 아이비가 진정하라는 제스쳐를 취하며 말을 이었다.

"에이 지금 가자는 게 아니고요. 천천히 가자 이거죠 설마 제가 미쳤다고 아저씨가 그런 심한 부상을 입었는데 산을 오르자고 하겠어요? 이상한 생각을 많이 하기는 해도 그런 생각은 절대 안한다고요"

"그… 그래 그렇겠지"

"그니까 아저씨는 푹~ 쉬세요. 좀 움직이실 수 있을 때 무등산에 올라가려고 하니까"

"아니 근데 산을 올라가는 게 진짜로 도움이 되기는 할까…?"

"뭐라도 시도해봐야 하지 않겠어요? 딸을 찾는 건… 아저씨가 제일 절박할 거 아니에요. 찾기 위해서는 뭐든지 일단 다 해봐야 죠"

아이비의 말이 맞았다. 지금은 뭐든지 다 해봐야 한다. 결국 나는 몸이 괜찮아지면 무등산에 올라가기로 아이비와 약속하고 몸을 회복하는 데 전념했다.

그렇게 약 이틀 동안 더 몸을 회복하는데 전념한 후 무등산으로 향하는 날이 되었다.

아이비는 어디서 받아왔는지 모를 등산요 가방을 메고서는 괴상하게 생긴 선캡도 챙겨왔다. 나는 아이비에게 물었다.

"너… 그 등산용 가방이랑 이상하게 생긴 선캡은 어디서 가져온 거냐…?"

아이비가 선캡을 쓰고 자신의 등에 메고 있는 등산용 가방을 보여주며 들뜬 목소리로 말했다.

"아, 이거요? 여기에 평소에 무등산에 자주 올라가시던 부부가 계시는데 그분들에게 받아왔어요! 무등산 등산코스를 찾고 있었는데 그걸 보시더니 제게 선물로 주셨어요! 헤헤헤"

"아, 그러냐"

그때 등산용 가방 안에서 아이비의 비둘기 로봇이 고개를 빼고 주위를 둘러보았다. 그러다 나와 눈이 마주치더니 다시 가방 안으로 들어갔다. 참… 이해가 되지 않았다.

그때 산으로 갈 준비를 하던 우리들에게 저 멀리서 마태호가 다가오고 있었다. 마태호는 아이비의 복장을 보더니 웃으면서 우리에게 물었다.

"아아 산을 가려는 건가?"

마태호의 말에 아이비가 고개를 끄덕였다. 그런 아이비의 모습을 본 마태호는 웃음을 참으며 말을 이었다.

"그렇군. 어디 산 저기 무등산?"

"네!"

"그래, 그렇구나"

그때 마태호가 날 바라보더니 놀란 표정으로 물었다.

"뭐야 자네도 가는 건가?"

나는 고개를 끄덕였다.

"몸이 많이 괜찮아졌나 보군?"

"그냥 조금 움직일 수 있을 정도는 되어서 말이다"

"그래? 그럼 그냥 푹 쉬는 게 어떠냐?"

"우리가 시간이 그렇게 많은 게 아니라서 말이지… 또 갱단을 처리하며 얻지 못한 딸의 정보를 혹시나 찾을 수 있을까 싶어 가보는 거니까… 꼭 가야 한다."

"…그렇군. 그럼 내가 말릴 수는 없지, 대신 너무 무리하지 말게 아이비 너도 마찬가지고 말이야."

"네!!"

"그래 그럼 둘 다 몸조심 하고 무등산은 천왕봉이 아름다우니 꼭 올라가 보게나 아주 옛날에는 공군이 주둔하고 있어 군사 시설 보호구역으로 통제되고 있었는데 이제는 이전하여 올라갈 수 있게 되었다네 한… 450년 전인가 456년 전인가 그때부터 말이야."

"네 저희도 거길 올라가는걸. 목표로 하고 가는 거예요!"

"뭐? 진심이야? 올라가 보라고 얘기하긴 했지만 거기는 1,100m가 넘어가는 높이인데… 자네 할 수 있겠어?"

마태호가 내게 걱정스러운 눈빛을 보내왔다. 나는 그런 마태호에게 쓴웃음을 지어 보이며 말했다.

"뭐… 뭐라도 해봐야 하지 않겠나…"

"그래… 그럼 이건 진심으로 하는 말이네 절대 무리하지 말고 힘들거나 위험하다 싶으면 꼭, 바로 내려와야 한다. 지금 자네 몸 상태면 힘들 거야 또 아이비가 그렇게 몸이 좋은 건 아니니…"

"들었지…?"

나는 아이비를 바라봤다. 하지만 아이비는 사라진 상태이었다. 방금까지만 해도 서 있었던 자리에는 지금 아무도 없었다. 내가 우리 곁에 서 있던 사람을 바라보자 그 사람이 나가는 문을 가리켰다.

"하아… 자네가 잘 설명해주게"

마태호가 머리를 짚고 한숨을 내쉬며 말했다. 나는 마태호에게 고개를 끄덕이고서는 아이비를 찾아 밖으로 나왔다. 시민군의 본 거지였던 빌딩의 지하 주차장에서 나와 하늘을 바라보았다. 오래간만에 보는 구름 한 점 없는 맑은 하늘이었다. 이런 평화로운 하늘을 얼마 만에 보는 것인가…

"아저씨 뭐해요! 빨리 와요!"

그때 저 멀리에서 아이비가 팔을 흔들고 있었다. 아이비의 옆에는 이곳에 올 때 우리에게 도움을 줬었던 운전사가 차 키를 들고 있었고 그 옆에는 차 하나가 있었다.

"이 아저씨가 저희가 산으로 가는걸 도와줄 거예요!"

나는 그들에게 다가갔다. 그리고 운전사에게 악수하였다.

"지난번 차를 빌려줘서 고마웠네 그… 차가 조금 파손되긴 했네만…"

"에이 별일 아닙니다. 여깃는 차들은 다 한창 전투가 벌어지고 있을 때 도로에 있던 주인 없는 차들 가져왔던 거라"

"저도 그냥 운전을 잘해서 차 관리자가 된 것이고요. 제게 미안한 마음 가지실 필요 없습니다"

"그래, 고맙네"

나는 운전사에게 감사 인사를 전한 후 아이비와 차의 뒷좌석에 탔다. 그렇게 나와 아이비는 운전사가 운전해주는 차를 타고서는 무등산으로 향하기 시작했다.

***

차 안에서 잠시 눈을 붙이고 얼마 정도가 지났을까 아이비가 나를 흔들어서 깨웠다.

"아저씨 일어나요! 다 왔다고요! 무등산에!!"

이후 아이비는 차에서 빠르게 내렸다. 나는 길게 기지개를 피고서는 운전사에게 감사 인사를 하고 차에서 내렸다. 차에서 내리자 눈이 쌓여 아름다운 흰색의 무등산의 거대한 모습이 눈에 들어왔다. 항상 기계화되고 네온사인의 빛만 보이며 매연 냄새만 나던 도시에서 이런 자연의 모습이 살아있는 산의 모습을 보자 무언가 마음이 뻥 뚫리는 느낌이었다.

아이비를 바라보자 아이비도 나와 같은 생각을 하는 듯한 모습이었다. 산을 좀 더 바라보던 아이비가 내게 말했다.

"자 그럼 빨리 올라가 볼까요? 저희가 갈 길이 멀다구요!"

아이비가 힘찬 발걸음으로 무등산 등산로를 향하기 시작했다. 나는 지도 프로그램을 켜 무등산의 등산로를 확인했다. 천왕봉 능산로… 7시간 50분…

…? 7시간 50분?

"저 아이비!!"

"네? 왜요?"

"지금 천왕봉 등산로를 검색해봤는데… 7시 50분… 이 등산로가 맞는 거냐?"

"네 그 등산로 맞아요!"

"뭐…?"

"왜요? 너무 오래 걸리면 포기하셔도 괜찮구요"

아이비가 말했다. 하지만 딸을 찾을 단서를 찾을 수 있다면… 포기할 수는 없었다.

"아니다 포기한다는 얘기는 아니었어."

"좋네요. 그럼 이제 진짜 빨리 갈까요? 지금 안가면 밤 늦게 돼서야 집에 갈 수 있을지 몰라요!"

대화를 마친 아이비는 다시 산을 향해 발걸음을 옮겼다. 그래 7시 50분이라면… 한시가 급하다. 그렇게 우리는 조금 더 걸어 등산 코스에 진입했다. 처음부터 급경사가 나타났다. 아이비가 이것을 오를 수 있을지 걱정되었다. 하지만 생각보다 아이비는 이 급경사를 쉽게 올라갔다.

나는 아이비의 뒤를 천천히 따라가며 산을 올랐다. 그렇게 산을 오르기 시작한 지 약 20분째였다. 앞서가던 아이비가 말을 걸었다.

"아저씨"

아이비의 목소리는 방금과 다르게 침착한 목소리였다.

"응? 왜"

"지난번에 못 들었던 대답을 들으려구요"

"? 뭔 대답 뭐가 있었나?"

"그때 제가 물었잖아요"

"언젠가… 이 모든 일이 끝나면 아저씨는 뭘 할 것인지"

아 맞다 이 질문 광주에서 거점을 찾아갈 때 아이비가 차 안에서 했었던 질문이었다.

"그때 답하지 않았었나?"

"네? 아니요? 아저씨 그때 저한테 그건… 좀 더 생각을 해봐야겠다며 제대로 된 답을 해주시지 않으셨잖아요!!"

아이비가 내 성대모사를 하며 말했다. 솔직히 말해서 비슷해서 좀 놀랐다. 아무튼 이 질문을 아이비는 또 왜 하는 걸까…

"아 그랬나…"

"네 그러셨었어요. 그래서 이번엔 확실하게 들을래요 생각해보겠다고 말씀하신 뒤로 생각할 시간이 꽤 많았잖아요?"

"음… 잠시만 기다려 봐라"

나는 고민에 빠졌다. 고민에 빠져서 등산로를 약 40분째 걸었을 무렵 아이비가 다시 말을 걸어왔다.

"이제 고민 끝났어요?"

"…그래"

"그럼 이제야 들어볼까요~ 자 다시 질문할게요?"

"아저씨는 딸을 찾고 모든 일이 끝나면 뭘 하실 거예요…?"

아이비의 재질문에 나는 5초간 침묵한 후 입을 열었다. 앞에서 산을 오르던 아이비도 멈춰서 내 답을 기다리고 있었다.

"…그냥 좀 쉬고 싶구나"

"네?"

"모든 것이 평화로워지고 모든 일이 끝난다면 그냥 집에서 편히 쉬고 싶구나 독서라던가 아님 딸과 놀러 가겠지"

"그렇군요… 아저씨 독서 좋아해요?"

아이비가 의외라는 듯한 표정과 목소리로 내게 물었다.

"그래"

"아하… 책 읽는 모습을 지금까지 한 번도 못봤어서"

"당연히 그러겠지. 요즘 책 읽을 시간이 어딨나"

"아 뭐 그 그렇죠! 그죠 네…"

이 대화 이후 나와 아이비는 다시 말없이 산을 올랐다. 이제 산을 오른지 2시간 정도가 흘렀다. 나는 아직 올라갈 만했으나 아이비는 조금 지친 모습이 보였다.

"아이비"

"허억… 허억… 네? 무슨 일이에요?"

"많이 힘들어 보이는데 좀 쉬었다 가는 게 어떻겠나?"

"네? 아뇨? 전… 아… 음… 좀 쉴까요"

"좀만 가면 벤치가 나오는데 그곳에서 잠시 쉬었다 가도록 하지"

"네~"

방금까지 무거워 보였던 아이비의 발걸음이 갑자기 조금 가벼워 진 느낌이 들었다. 그렇게 5분 정도를 더 걷자 벤치 2개가 나란히 있는 휴식공간이 눈에 들어왔다. 아이비는 벤치에 앉아 자신의 등산용 가방에서 물병 하나를 꺼내었다. 그러고는 물을 마시며 휴식을 취했다. 그러다가 아이비가 내게 물병을 건네며 물었다.

"아저씨 저 하나 궁금한 게 있는데요"

나는 아이비가 내민 물병을 거절하며 답했다.

"뭐가 이리 궁금한 게 많은 거냐…"

아이비가 날 노려봤다.

"…그래 뭐가 궁금한데"

"아저씨랑 송현태랑 싸울 때 나누셨었던 대화를 들었거든요? 전부?"

"그래서?"

"거기서 조금 흥미로웠던 것들이 몇 개 있었었어요"

"그래 말해봐라"

"송현태가 아저씨한테 너… 검을 꽤 다루는 녀석이구나? 라고 했잖아요"

아이비가 이번에는 송현태의 성대모사를 하면서 말했다. 어이가 없어서 잠시 말이 안 나왔다.

"그… 렇지 그래"

"거기서 아저씨가 그래 라고 답하셨는데 검을 언제부터 쓰셨던 거예요? 요즘 세상 보면 다 총에 레일건에 최신 기술을 쓴 무기들이 판치는데 굳이 그 오래된 무기인 검을 쓰시는 걸 보면 좀 이상해서요"

"검은… 잘 기억도 나지 않을 만큼 굉장히 오래전부터 잡았었다 그러다 보니 가장 익숙한 무기도 검이 됐고 또 뭔가 최신 기술들은 나랑 잘 맞지 않아서 말이지… 그래서 검만 쓰는 거다"

"그렇구나~ 생각보다 이유가 뭐 특별한 게 없네요?"

"그럼 뭘 기대한 거냐…"

"뭐랄까… 굉장히 숨겨진 비밀 같은 게 있을 줄 알았는데 그냥 오래 잡아서 익숙한 거였다니 뭔가 김빠지잖아요"

"도대체 무슨 소리야 그게"

"그냥 제 생각이었어요~"

이후 휴식을 마친 나와 아이비는 다시 산을 오르기 시작했다. 이번에는 아이비가 꽤 오랫동안 조용했다. 그러다 이 침묵을 깨는 사람은 또 아이비였다.

"아저씨"

"또 뭐야?"

"아저씨는 딸을 찾는 거잖아요"

"그렇지"

"그럼 아저씨의 아내분은 어떤 사람이었어요?"

"뭐? 그런 게 왜 궁금해?"

"그냥… 너무 적막하잖아요. 아무 말 없이 산 오르기에는"

"그래서 그냥 아무거나 질문해 보는 거예요"

"그럼… 그 전에 조건이 있다."

조건이 있다는 내 말에 아이비가 멈춰서 나를 돌아봤다.

"나도 궁금했던 걸 물어보마"

"네 다 물어봐요!"

"네 부모님은… 뭘 하시나?"

"… 네?"

"너도 내 가족에 관해 물어보니 나도 네 가족에 관해 물어보는 거다"

내 질문에 아이비의 표정이 살짝 어두워졌다. 그리고 멈춰서 대화하던 전과는 다르게 산을 오르면서 얘기하기 시작했다.

"제 부모님은… 어머니는 제가 기억도 나지 않을 정도로 아주 옛날에 돌아가셨어요. 왜 돌아가셨는지도 잘 모르고요. 그리고 아

216

버지는 10년 전에 사고로 돌아가셨어요"

"…"

"그래서 그 일 뒤로 해커의 길로 빠지게 된 거 같아요. 뭐랄까 그날 이후로 좀 달라졌다고 해야 할까요? 제 삶이"

"부모님이 돌아가셔서 해커가 되었다고?"

"네 어머니가 돌아가신 것을 알고 저는 의사가 되는 것을 꿈꿨어요. 그런 저를 아버지는 계속 믿고 지지해 주셨는데… 아버지가 돌아가시고 나서… 의사가 될 의지를 잃어서 해커가 되기로 결정했던 거 같아요"

나는 아이비의 말을 듣고 고민에 빠졌다. 그리고 힘겹게 입을 열었다.

"… 아이비 이런 말을 내가 해도 될진 모르겠지만"

"네?"

"내가 네 부모님같이 내 딸을 남겨두고 세상을 떠나게 된다면"

"네 죽음에 딸이 영향을 받지 않고 꿈을 향해 노력해 꿈을 이루었으면 좋겠다고 생각했을 거야 나로 인해 내 딸의 꿈이 인생이 달라진다면 오히려 더 힘들 것 같구나"

앞서가던 아이비가 멈춰서서 내 얼굴을 바라봤다. 나는 다급하게 아이비에게 말했다.

"그냥 뭐랄까 그냥 어… 나도 한 아이의 부모로서 내 생각을 말해본 거야 너무 중요하게 생각할 필요는 없어"

내 말에 아이비는 하늘을 바라보고 숨을 깊게 들이쉬고 내쉬었다. 그리고 차분한 목소리로 답했다.

"그렇군요… 그럴 걸 그랬네요. 만약 우리 아버지가 이런 생각을 하고 계셨다면 아버지에게 너무 미안할 것 같아요"

아이비가 한숨을 내쉬었다. 그리고 천천히 산을 오르면서 질문했다.

"그럼 저도 이제 알려드렸으니 아저씨도 알려주세요. 아저씨의 아내분은 어떤 사람이었나요?"

"내 아내는…"

아이비가 천천히 발걸음을 계속해서 옮겼다. 나는 숨을 크게 들이쉬고 말하려 했다.

"설마 아내분도 기억이…"

아이비가 의심스러운 목소리로 말하려 했으나 나는 그런 아이비의 말을 끊고 말했다.

"그 누구보다 따뜻하고 아름다운 여자였다"

천천히 움직이던 아이비의 발이 멈췄다. 그리고 아이비가 놀란 표정으로 나를 돌아봤다.

"정말 착했어."

"간만에 아내에 대해서 생각하니… 여러 추억이 떠오르는구나"

내 말을 듣던 아이비가 내게 물었다.

"…… 그럼 지금 아내분은 어디에 계시나요…?"

아이비의 말에 순간 말문이 막혔다. 하지만 그래도 말해냈다.

"… 딸이 태어나는 날에 사망했다."

"아…"

"…"

내 말에 아이비가 고개를 돌리고 앞을 바라보고 섰다… 어째서인지 아이비의 어깨가 떨리고 있었다. 나는 아이비를 조심스럽게 불렀다.

"아이비…?"

그러자 아이비가 잠긴 목소리로 답했다.

"그냥 그냥 그냥 말이에요 딸이 태어나는 날에 돌아가셨다니… 뭐랄까 너무 슬프다고 해야 할까요? 안타깝다 해야 하나? 아 제가 진짜 감성적이고 공감 능력이 좋거든요. 이런 대화를 나누고 있다 보니 그냥 왜인지 눈물이 나네요…"

"아, 그런 건가"

"그… 그럼 올라갈까요? 곧 다 와 가네요"

아이비가 자신의 얼굴에 손부채를 하며 말했다.

"그래"

아이비가 발걸음을 힘차게 내디뎠다. 나는 그런 아이비의 뒤를 쫓았다.

***

그렇게 거의 다 와 가는 정상, 아이비가 전보다 가벼워진 발걸음으로 내게 말했다.

"이제 다 와 가네요! 아름다운 주상절리를 볼 수 있을 거예요!"

그렇게 나와 아이비는 약 10분 정도를 더 걷고서야 무등산의 정상 천왕봉에 도착할 수 있었다. 이곳에 올라서서 주위를 둘러보자 꽉 막혀있던 마음이 뻥 뚫리는듯했다. 아이비는 눈을 감고 멀리서 불어오는 바람을 느끼고 있었다.

나는 아무 말 없이 먼 곳을 바라봤다. 눈이 쌓인 이곳은 정말로 아름다웠다. 그때 머리가 아파오기 시작했다… 이것은… 울산에서 느꼈던 것과 비슷한… 으윽…!!

나는 머리를 잡고서는 고개를 숙이고 무릎을 꿇었다. 머리의 고통이 상당했다. 그리고 뭔가 올라오려는 듯한 알 수 없는 느낌도 들었다. 그때 한 어린아이의 목소리가 들리자 머리의 고통이 사라졌다.

나는 조심스럽게 머리를 잡고 있던 손을 내리고 고개를 들어 주위를 둘러봤다. 그때 저 멀리서 한 아이와 그 아이의 아버지로 보이는 한 남자가 같이 걸어 올라오고 있었다. 자세히 보니 내 딸과 나의 모습이었다. 언제의 기억이지…? 확실하지 않았다. 내 딸이 외쳤다.

"아빠 좀만 더 가면 된다구 빨리와!!!"

"허억… 혹시 힘들지는 않니?"

과거의 내가 딸에게 기겁하며 물었다.

"아니? 난 지금 너무 행복해 아빠랑 산에 올 수 있는걸?"

"언제부터 산을 좋아했던 거니?"

"아빠가 작전에 나갔을 때… 그때 텔레비전으로 봤거든!! 서울은… 도시는 뭔가 답답한 느낌이 있었는데 산은 그게 없어! 뻥 뚫린 느낌이 들었어!!"

"그래서 아빠가 요즘 너무 힘들어 보여서 이런 아름다운 풍경을 보여주고 싶었어!"

"그래…? 우리 기특하네…"

그때 기억 속에서 이상한 일그러짐이 일어났다. 그때 다른 때보다 더 머리가 아파 왔다. 어쨌든 그렇게 대화를 나누던 둘은 내 앞을 지나 드디어 산 정상에 도착했다. 딸이 숨을 들이쉬더니 과거의 내게 안겼다.

"아빠! 어때? 어떤 거 같아?? 좋지?!!!"

과거의 나는 풍경을 둘러보더니 말했다.

"그래 진짜 좋네 피로가 다 사라지는 느낌이야."

"정말? 그렇지?"

"그럼 진짜지 고마워 우리 딸 아빠를 이런 곳에 데려다주고 말이야."

"아니야!! 내가 고맙지!! 나랑 같이 와줘서 고마워 아빠!!"

그때 내 딸이 옆에 있던 거대한 돌 위로 올라섰다. 그리고 무언가를 외치려 한 순간… 과거의 기억은 그렇게 끊겼다.

어째서인지 내 눈에서 눈물이 떨어지고 있었다. 그때였다.

"으아아아아아아아아아!!!!!!"

갑자기 아이비의 엄청난 목소리가 들려왔다. 나는 바로 눈물을 닦고 고개를 들어 아이비가 어딨는지 둘러봤다. 아이비는 내 앞에서 입에 손을 모으고 소리치고 있었다.

"…뭐 하는 거냐"

내가 말하자 아이비가 웃으면서 나를 돌아봤다. 아이비는 환한 미소를 띠고 있었다. 이후 아이비는 웃으면서 내게 말했다.

"네? 아아 가끔 이렇게 소리치면 뭔가 마음에 쌓여있던 것이 날아가는 것 같은 기분이 들거든요 가끔 힘들 때마다 이런 식으로 스트레스를 풀곤 해요"

말을 마친 아이비가 내게 소리쳤다.

"아저씨!"

"?!"

"걱정하지 마세요!!! 모든 엔딩은 꼭…!!"

그러더니 엄지손가락을 치켜세우며 말했다.

"해피엔딩… 일 테니까!"

"무슨…"

아이비는 그러고서 "헤헤헤" 거리면서 웃었다. 나는 그런 아이비의 모습을 보고서는 나도 모르게 작게 웃었다. 그러자 아이비가 말했다.

"어? 아저씨 웃었다! 그죠 웃은 거죠!"

"유후!! 내가 아저씨를 웃겼다!!"

"그게 그렇게 기쁠 일이냐?"

"아하핳!! 내가 아저씨를 웃겼다!!"

나는 그런 아이비의 모습을 보며 크게 웃었다. 무언가 아이비의 해피엔딩이라는 말을 듣고서 무언가 마음속의 큰 짐이 내려간 듯한 느낌이었다. 그래… 다 잘 풀릴 거야

이후 나와 아이비는 산의 정상에서 조금 더 시간을 보내다 하산하기 시작했다. 하산을 하던 중 아이비가 작게 말했다.

"아… 다리야…"

나는 그런 아이비를 앞질러가 아이비에게 말했다.

"업혀라"

"네?"

"다리 아프다며"

"네? 아 네 그 들렸어요?"

"그래 그러니까 빨리 업혀라 하산할 때까지만 업어주마"

"웬일이시래 헤헤"

아이비는 내 등에 곧장 업혔다. 누군가를 업는 게⋯ 오래전 아내와 딸 이후로 처음이었다.

"그냥 이 산에서 좋은 기억을 떠올렸으니⋯ 이곳에 오게 해준 네게 고마워서 업어주는 거다"

"무슨 기억이었는데요?"

"그건 비밀이다"

"네? 그런 게 어디 있어요~~ 이미 다 얘기한 사이인데~~"

"그래도 조금의 비밀을 있는 거야"

"쳇 알았어요"

아이비는 아쉬운 듯 말했다 이후 내려가던 중 아이비가 웃으면서 말했다.

"그래도 기분은 좋네요"

"뭐가?"

"뭐랄까 아저씨랑 과거를 털어놓고 나니 무언가 아저씨와 더 친해진 것 같달까요?"

"제 과거는 아무한테나 쉽게 알려주지 않았거든요"

"그런데 뭐가 이렇게 편하게 털어놓으니 홀가분하면서⋯ 좋네요"

"⋯ 다행이구나"

그렇게 한참을 올랐던 길을 한참을 내려가 무등산 등산이 끝이 났다. 산에서 내려온 우리는 다시 운전사의 도움을 받아 광주 시민군 본부로 향하였다. 아이비는 피곤했는지 가는 길에 잠이 들었다.

광주 시민군 본부에 거의 도착했다. 지금 광주에는 전에는 볼 수 없었던 생기가 돌고 있었다. 위협이 사라져 전과는 달리 밝은 미소를 짓고 있는 어린아이들과 살아남은 것을 기뻐하는 사람들이제 집으로 돌아가는 시민들의 모습 등 처음 올 때 봤던 지옥의 모습과는 완전히 달라졌다.

시민군 본부에 도착하고 시민군이 있던 지하 주차장으로 내려가자 마태호가 우리를 기다리고 있었다. 마태호의 주변에서 사람들은 전부 자신의 집으로 일상으로 돌아가기 위해 준비를 하고 있었다.

차에서 내가 내리자 마태호가 웃으면서 맞이해주었다. 내 뒤에서 아이비가 눈을 비비며 차에서 내린 후 기지개를 켰다. 마태호는 내게 물었다.

"그래서… 등산은 딸을 찾는 데 조금 도움이 됐나?"

"… 그래 도움은 모르겠으나 안 가는 그것보다는 나았다."

"그거 잘됐군"

이후 마태호는 주위를 둘러보면서 입을 열었다.

"이제 모든 일이 끝났으니… 시민들도 다들 일상으로 돌아가려고 노력하는 모습이야 이 모든 일은 자네와 저 소녀가 없었다면은 불가능했을걸세 정말로 고맙다 진심이야."

마태호가 고개를 숙였다. 이후 마태호가 어디론가 천천히 걸어가며 말했다.

"그럼 잠시 따라오게나"

마태호가 어디론가 들어갔다. 나는 마태호의 뒤를 바로 따라갔다. 그곳은 여러 해킹 장비들이 있는 방이었다. 아이비가 이곳에서 내게 지원했었던 것 같다. 마태호가 이 방으로 들어오자 아이비는 억지로 웃는 표정을 지었다. 아마 EMP 방어 프로그램을 빼돌린 것 들켰다고 생각하는 듯했다. 하지만 마태호의 입에서는 다행히도 다른 이야기가 나왔다.

"이제 자네들의 다음 목적지는 어디인가?"

마태호가 묻자 내 뒤에 있던 아이비가 앞으로 튀어나오면서 자신의 해킹도구를 키며 말했다.

"아마 다음 목적지는 대구가 될 거예요!"

"대구라… 음 그럼, 여기서 보는 햇빛이 자네들이 보는 마지막 햇빛이겠군. 대구에 가면 한동안은 볼 수 없을 테니…"

"? 그게 무슨 소리지?"

대구로 가면 햇빛을 볼 수 없다고? 이건 또 무슨 소리인가? 내가 묻자 이번에도 아이비가 튀어나오며 설명했다.

"대구는 지금 거대한 지하도시잖아요! 지상이 전부 대구 갱단에게 위협을 당하게 되자 시민들과 로봇들은 대구 갱단이 찾을 수 없도록 대구 아래에 거대한 지하도시를 만들었어요"

"아저씨 부산 기억나죠? 제 집이 있는 곳? 거기 같은 건데 부산은 작은 마을이 지하에 있는 정도라면 대구는 아예 도시 자체가 땅속에 있다고 생각하면 편할 거예요"

"뭐? 아니… 내가 아는 대구는 지상에서 안정적으로 있었는데 내가 모르는 새에 지하도시가 만들어져…? 지금 장난하는 거지?"

"장난 아니에요"

"대체 어느 틈에 그렇게 된 거지…? 지하도시를 잘 모르긴 하지만 그래도 만들려면 엄청난 시간이 소요될 것 같은데…"

"일단 뭐 그래요. 대구는 완전히 지하도시가 된 상황이에요"

아이비는 자세한 설명을 건너뛰고 그냥 지하도시가 되었다고 하며 이야기를 넘겼다. 하지만… 아무리 생각해도 이상했다… 불과 몇 주 전까지만 해도 평화로웠던 대구가… 황폐화가 되고 지하도시로 숨어들어? 하지만 아이비는 자세한 설명을 할 생각이 없어 보였다. 나는 더 물으려 했으나 답이 오지 않을 것 같아 어쩔 수 없이 일단 수긍하기로 했다.

"그래… 그럼 이 차를 가져가게"

마태호가 내게 차 키를 던졌다. 나는 날아오는 차 키를 받아내고 무슨 차인지 확인해봤다. 그것은… 마태호가 우리를 구하러 왔을 때 탑승했던 방탄 개조가 된 검은색 승용차였다. 아이비의 눈이 빛나기 시작했다.

"그때 EMP로 멈춘 이후 이 차에 EMP 방어체제까지 탑재해놨다. 이제 EMP로 멈추는 일은 없을 거야 난 이제 광주를 나갈 일이 딱히 없으니 자네들에게 주도록 하지"

"오오와아 진짜 요오??"

아이비가 깨끗하게 세차해 광이 나는 차에 조심스럽게 손을 가져다 대며 물었다. 마태호는 웃으면서 고개를 끄덕였다. 이곳에서 너무 많은 도움을 받은 것 같다… 편한 이동을 도와준 운전사부터 여러 방면에서 지원을 받았다 나도 이곳 광주를 위해 뭔가를 더 할 수 있는 일이 없을까… 그래 이거면 되려나?

"우리가 광주 시민들을 도와도 되겠나?"

내 말에 마태호가 놀란 표정으로 말했다.

"이미 우리는 자네들에게 너무 많은 도움을 받았는데… 괜찮다네 더 이상 신세를 지면 면목이 없어"

"우리도 너무 많은 지원을 받은 것 같아서 그러니 사소한 것이라도 도울 수 있게 해주게"

"맞아요! 저희가 마지막 선물로 작은 것이라도 도와드리고 싶어요!!"

"아…"

"그럼 염치없지만 한 번만 더 부탁하도록 하지 지금 이곳 지하주차장의 짐들을 다 밖으로 빼내는 작업을 진행 중이야 그것만 조금 도움을 요청하지"

"알았다"

"저희에게 맡겨주세요!"

나와 아이비는 마태호와 대화를 나눈 이후 바로 이곳의 짐을 빼는 일을 돕기 시작했다. 짐들은 다 상자에 가지런히 분리되어 담겨있어 옮기기 쉬웠다. 그렇게 짐들을 나르고 나르다 보니 어느새 모든 짐을 밖으로 빼내었다.

***

그렇게 모든 짐을 밖으로 빼내고 나서 나와 아이비는 광주 시민들과 마태호의 배웅을 받으며 마태호에게 받은 차를 타고 대구로 향하기 시작했다. 출발하기 전 아이비가 운전을 하고 싶다고 떼를 썼지만, 그냥 무시하고 뒷좌석에 태웠다.

마태호의 차량은 무언가 많이 개조해서 붙인 것 치고는 빠른 속도를 갖고 있었다. 차만 막히지 않는다면 지상 고속도로를 타고 적당히 빠르게 대구로 도착할 수 있을 듯했다. 아이비는 짐을 옮기면서 많이 힘들었는지 출발하고 약 10분도 안 지나서 바로 잠들었다.

광주에서 대구까지 걸리는 시간은 2시간 정도였다. 그렇게 지상 고속도로를 타고 순조롭게 대구로 향하고 있을 때였다. 이상함이 느껴져 주위를 둘러봤다. 출발하기 전 확인했던 교통정보와는 다르게 대구를 향하는 지상 고속도로를 달리고 있는 차들이 꽤 있었다.

내가 예민한 걸 수도 있겠지만, 아니 이건 진짜 너무 많았다. 창문으로 본 거로 어림잡으면 주위에 약 20대가 넘게 있었다. 뭔가 예감이 좋지 않았다. 하지만 일단 그냥 계속 대구로 향했다. 그러자 점점 더 많은 차들이 우리의 주변에 몰려들었다. 공중 고속도로에서도 우리의 차 위로 모여들었다. 나는 조심스럽게 아이비를 깨웠다.

"아이비 일어나라"

"아으…"

"빨리"

"조금만 3분만 더요…"

그때 갑자기 위에서 총을 쏟아붓기 시작했다. 하지만 다행히 방탄 개조가 되어있어 총알들이 차에 부딪혀도 요란한 소리를 내며 튕겨 나갔다. 아이비는 총알들이 부딪치는 소리에 놀라며 깨어났다.

"이… 이게 무슨 일이에요?!?!?"

"잘 모르겠다 지상 고속도로를 타고 얼마 안 지나자 놈들이 모이더니 총을 쏴대기 시작했어."

"네…? 또 갱단 녀석들의 습격이에요? 광주 갱단 녀석들이 복수를 하러 온 건가? 아닌데? 걔네는 다 처리했는데… 그럼 대구 갱단 녀석들의 선공일까요?"

"아니 이 녀석들… 전부터 우리를 노리던 녀석들이다"

"네?"

"울산으로 가는 고속도로에서 만났던 놈들 기억하나?"

"아 네 그 녀석들은 왜요?"

"내가 창문을 통해 언뜻 보았는데 녀석들이 입고 있는 복장… 그때 습격해왔던 녀석들과 동일한 복장이다. 그때부터 우리를 노리는 갱단이 존재하는 거야"

"일단 주위에 둘러싼 녀석들을 그냥 밀고 갈 계획이다. 대구까지 이제 1시간도 안 남았어 최대한 빠르게 대구로 향한다."

나는 차의 속도를 점점 높이기 시작하면서 아이비에게 말했다.

"어디든지 꽉 잡고 버텨 많이 흔들릴 거다"

"아아…!! 네 넵 일단 알겠어요!"

나는 차의 속도를 이용해 주위에 둘러싸고 있던 차들을 밀어버리며 앞으로 나아갔다. 차의 힘이 강해서 그런지 우리를 둘러싸고 있던 차들이 쉽게 밀려났다. 밀려난 차들은 자기들끼리 부딪히며 사고가 나기도 하며 한순간에 난장판이 되었다.

나는 그 난장판을 뒤로하고 빠른 속도로 대구로 향했다. 방금 밀어버리면서 차가 많이 흔들렸는데 아이비가 많이 어지러웠는지 이상한 소리를 내기도 했다.

"우웨엑… 우와악… 우웁…!!!"

"아이비 괜찮나?"

"저는 괜찮… 우웨엑…"

"아이비…?"

"우억… 하아… 하아… 저는 괜찮아요"

"다행이군"

"그럼 이제 밀어버렸으니 다 끝난 건가요?"

"아니 아직 공중 고속도로에서 따라붙는 녀석들이 꽤 있다. 그리고 뒤에서 따라붙고 있는 녀석들이 좀 있어 앞에도 지금 가로막으려는 녀석들이 3대 정도 보이고"

"대구로 가는 길은 그리 쉽지 않을 것 같구나"

"그럼 앞으로 이런 흔들림이 더 있을 거라는 말씀이신가요…?"

"그래 뭐 방금보다는 덜하겠지만 그래도 편히 가진 못할 거야"

"하 미치겠네요. 일단 알았어요…"

그렇게 아이비에게 통보하고 나는 속도를 더 올리기 시작했다. 이 차는 최대 속도가 몇인 거야? 밟으면 밟을수록 점점 더 계속해서 빨라졌다. 마대호… 대체 무슨 계조를… 덕분에 아이비는 뒤에서 계속해서 죽어가는 소리를 내고 있었다.

그때 갑자기 공중 고속도로를 달리던 차가 지상 고속도로로 추락했다. 그 차는 떨어지면서 우리의 차의 앞면을 들이받았다. 빠른 속도로 들이받아 방향을 잃을 뻔했지만 혼신의 힘으로 핸들을 돌려 방향을 잡았다. 추락한 그 차는 내 차와 부딪히고 몇 바퀴 구르더니 그대로 폭발했다. 그 폭발에 뒤에서 따라오던 차 여러 대가 휘말려 같이 폭발했다.

간신히 정신을 다잡고 창문으로 그 상황을 바라보았던 아이비가 통쾌하다는 듯 웃음을 터뜨렸다. 하지만 곧바로 다시 죽어가는 소리를 내기 시작했다. 하지만 나는 아랑곳 하지 않고 차의 속도를 높였다.

그렇게 미친 듯한 질주를 한 지도 약 30분가량이 지났다. 고속도로가 두 개의 길로 나누어졌다. 대구로 가는 길과 그냥 계속 달리는 길 그냥 달리는 길로 가면 포항이 나왔다. 나는 그냥 계속 달리는 길로 방향을 잡고 속도를 높였다. 그러자 아이비가 다급하게 소리쳤다.

"아 아 아저씨? 저 저희 대구로 가는 거 아니에요? 거기로 갔다가는…"

"조용히 있어라. 나도 계획이 있으니까…!!"

내가 포항 쪽으로 가는 것을 파악한 다른 차들이 속도를 높이기 시작했다. 그렇게 대구와 포항 갈림길의 바로 앞에서 대구 쪽으로 핸들을 꺾었다. 위험한 도박이었지만 벽에 간신히 부딪히지 않고 대구 쪽으로 진입했고 이것을 예상 못 한 다른 차들은 전부 포항 쪽으로 갔다.

그때 뒷좌석에서 박수 소리가 들려왔다. 이 모든 것을 지켜보고 있던 아이비가 박수를 치고 있던 것이었다.

"와 아저씨 전 아저씨가 진짜 이런… 우우에에엑!!!!!"

"야 아이비!!!"

결국 계속해서 죽어가던 소리를 내던 아이비가 일을 일으켰다. 빠르고 어지러움을 참지 못하고 결국 차의 바닥에 토를 한 것이었다… 아이비는 이후 몇 초간 더 토하는 소리를 내다가 멈췄다. 이후 그러더니 미친 듯이 웃기 시작했다.

"으하하하하하하하핳!!!"

"지금 이 상황이 웃기냐?"

"아니 히히히 웃기지 않아요? 하하핳 아 놈들을 따돌리고 안심이 돼서 그런가? 더 웃음도 나는… 우우에에에에엑!!!!!"

"야 말하지 마라 아이비! 아니 이미! 아이비!!!!"

나는 아이비에게 말하지 말라고 하려 했지만 이미 늦어버렸다 아이비가 다시 토를 하기 시작했다. 결국 바깥은 매우 추웠지만 차의 창문을 닫을 수가 없었다… 그렇게 정신없이 달려가는 대구 하지만 뭔가 이상했다. 대구로 가는 고속도로에는 아무런 차도 다니지 않고 있었다. 포항으로 가는 고속도로하고는 너무 달랐다.

거의 다 와 가자 점점 고속도로가 아래로 내려가고 있었다. 아이비가 뒤에서 힘겹게 말했다.

"이 아래로 쭉 가면… 대구로 가는 거대한 터널 하나가 나올 거예요… 거기로 계속 가면은 지하도시… 대구로… 갈 수 있구요…"

"아래로 계속해 내려가는 거군…"

점점 속도를 낮추며 도로를 달렸다. 그때 도로에 널브러져 있는 무언가를 발견하였다. 그것은… 자세히 보니 무슨 간판이었다… 가까이 다가가자 간판에 쓰여있는 글자 몇 개를 읽을 수 있게 되었다. 음… 대구로 오신 것을 환영합니다…?

"아이비"

"…네?"

"대구는 원래 저렇게 외부인을 환영하는 간판이 도로에 널브러져 있는 건가…?"

"…네?"

"아니 저길 봐라 아이비…"

"…네?"

"야"

"아 네 죄송해요. 어디요?"

아이비가 힘겹게 몸을 일으켜 밖을 내다봤다. 그 후 얼마 안 지나 아이비가 떨리는 목소리로 말해왔다.

"어… 저 저게 왜 저기 떨어져 있지…?"

"원래 어디 있어야 하는 건데?"

"원래라면… 대구로 가는 터널의 위에 붙어있어야 했지요…?"

"그런데 저게 저렇게 도로에 떨어져 있다는 건…"

"무슨 일이 생겼군"

"네 그런 거 같네요"

"일단 가서 확인해 보는 거로 하죠"

나는 빨리 대구의 상황을 확인하기 위해서 차의 속도를 다시 높이기 시작했다. 그러자 뒷자리에서 아이비의 다급한 목소리가 들려왔지만 신경 쓸 겨를이 없었다. 결국 다시 빠른 속도로 대구로 연결된 터널로 달렸다.

이후 5분 정도가 지나 바로 터널로 도착하였다. 하지만 뭔가 이상했다. 터널이 있어야 하는 자리에… 아무것도 없었다. 거대한 산만이 있을 뿐 아이비가 창밖으로 고개를 내밀어 터널을 확인하더니 기겁하며 내게 소리쳤다.

"아… 아저씨!"

"어 왜?"

"옳은 길로 온 거 맞죠…?"

"그래 네 프로그램이 안내해준 길로 제대로 왔는데"

"잠깐만 멈춰봐요"

내가 차를 멈추자 아이비가 차에서 빠르게 내리더니 앞으로 달려가기 시작했다. 나는 아이비가 내린 후 차에서 내려 차의 상태를 한번 둘러봤다. 수많은 총알 자국들과… 아이비의 토자국… 만신창이였다. 차를 받은 지 하루도 되지 않아 이 지경이 되어버렸다…

그렇게 차를 둘러보고 있을 때 앞으로 달려갔던 아이비가 다급하게 나를 불렀다. 나는 아이비에게 천천히 다가갔다. 그러자 아이비가 자신의 해킹도구를 심각하게 두드리며 말했다.

"아저씨…"

"어?"

"이게 터널이에요"

"뭐?"

아이비가 고속도로를 가로막은 거대한 산을 가리키며 소리쳤다.

"이게!! 터널이라고요!!"

"그게 무슨…"

"이게 터널인데… 터널이 맞는데…!!"

"그럼 아까 저기에 간판이 떨어져 있던 것도…"

"네… 아마 이 터널이 무언가로 인해 무너지면서 날아간 거 같아요…"

"저 정도 거리까지 날아간다면… 거대한 폭발로 무너뜨린 거 같군… 대구 쪽으로 가는 차가 아무도 없던 이유가 있었어…"

"그럼 이제 어떡하죠…?"

아이비가 해킹도구를 끄고서는 허탈한 표정으로 무너진 터널을 바라보았다.

2486 한국 1부 The END

2486 한국의 1부가 끝났습니다!

1부는 2486 한국의 33화까지의 이야기를 담고 있습니다.

이후의 이야기는 네이버 웹소설 또는 블라이스에서 만나보시거나 8월 20일에 나오게 될 2부를 기대해주세요!

첫 소설이라 미숙한 부분이 많은 본 작품을 끝까지 읽어주셔서 감사드립니다!

책을 준비하며 개인적으로 참 힘든 시간이 많았던 것 같습니다. 그래도 이제 이 이야기를 세상에 공개할 수 있다는 것이 정말 자랑스럽고 즐겁습니다.

 그럼 곧 나오게 될 2부도 많은 관심 부탁드리며 이만 물러가 보겠습니다! HaNA(신재형)이었습니다!!

■ ■

네이버 웹소설:2486 한국 검색

블라이스:2486 한국 검색

작가 인스타그램:@hananovel.99

2486 한국 공식 굿즈 구매하기!: 마플샵:고등학생 소설작가 HaNA 검색!

2486년의 미래 한국

미래 한국은 엄청난 문명을 이뤘다.
형형색색의 네온사인이 도시를 밝히며
하늘을 날아다니는 기차와 자동차가 존재하고
로봇들이 인간들과 사회를 이룬다...
하지만 그런 화려한 모습에 숨겨져 있는 어두운 면들...
가진자가 늘어날수록 없는자도 늘어나
빈부격차가 극심하게 벌어졌다.
심지어 몇몇 도시는 강한 힘을 가진 [갱단]이 점령하기까지
하는데...
그런 미래 한국의 미래 서울에서 8살의 어린 딸과 살아가고있는
미래 한국 국군 제 101특수임무단 소속 사이보그 군인 주인공
어느날 임무를 마치고 집으로 복귀하던중
집이 불타고 딸이 납치되었다는 사실을 알게된다.
주인공은 딸의 납치를 도시를 점령한 갱단들의 소행이라고 판단한다.
이후 주인공은 딸을 찾기 위해 군대를 그만두고 각지의 갱단들을
찾아가 갱단들과의 싸움을 시작하려 하는데...

고등학생 작가 HaNA(신재형) 작가의 첫 출판작
사이버펑크 액션 판타지 소설
2486 한국

값 15,000원
03810

9 791141 099497
ISBN 979-11-410-9949-7

'유머'는 '개그'가 아니다
상대방을 웃기려고 할수록 상황이 꼬이지만
상대방의 기분을 좋게 만들수록 상황은 풀린다
최부장님이 구사한 것은 유머가 아니라 개그다

가위바위 보를 하다보면 재미있는 현상이 벌어진다
이기는 사람은 계속 이기고 지는 사람은 계속 진다
이기는 사람은 이기는 이유가 있고
지는 사람은 지는 이유가 없다

바이어가 웃지 않는다고 짜증을 부렸다
알고보니까 내가 웃지 않았다
웃음이 가장 절실했던 사람은 '나'였다

값 18,000원
03320

9 791141 059897
ISBN 979-11-410-5989-7

이병세 지음